FURACÃO
ANITTA

FURACÃO
ANI

BIOGRAFIA NÃO AUTORIZADA

TTA

LEO DIAS

© Copyright 2019 by Leo Dias

Direitos de edição da obra em língua portuguesa no Brasil adquiridos pela Agir, selo da Editora Nova Fronteira Participações S.A. Todos os direitos reservados. Nenhuma parte desta obra pode ser apropriada e estocada em sistema de banco de dados ou processo similar, em qualquer forma ou meio, seja eletrônico, de fotocópia, gravação etc., sem a permissão do detentor do copirraite.

Editora Nova Fronteira Participações S.A.
Rua Candelária, 60 — 7º andar — Centro — 20091-020
Rio de Janeiro — RJ — Brasil
Tel.: (21) 3882-8200

Caderno de fotos: da página 1 a 17, acervo familiar; da página 18 a 26, Duh Marinho; e da página 27 a 32, Manu Scarpa.

CIP-BRASIL. CATALOGAÇÃO NA PUBLICAÇÃO
SINDICATO NACIONAL DOS EDITORES DE LIVROS, RJ

D532f

      Dias, Leo, 1975-
          Furacão Anitta / Leo Dias; apresentação André Luis da Silva Junior. - 1. ed. - Rio de Janeiro: Agir, 2019.

          Inclui caderno de fotos
          ISBN 978.85.220.0184-2

          1. Anitta, 1993-. 2. Cantoras - Brasil - Biografia. I. André Luis da Silva Junior. II. Título.

19-55458   CDD: 927.8164
                                            CDU: 929:7.071.2(81)

SUMÁRIO

6   Todo furacão tem um nome

9   A presença de Larissa

25   Furacões em rota de colisão

37   PRE-PA-RA

52   "Anitta é fruto de muito jabá."

65   Meninas más

78   "Você precisa se livrar desse carma."

90   Não é sorte, é fé

100   Muy amigas

111   Mais que amigos

128   Costurando o futuro

140   Eu vim pra ficar

154   "Sabe o Pelé?"

158   Agradecimentos

TODO FURACÃO
TEM UM NOME

Toda biografia é um apanhado de histórias, um recorte nem definitivo nem mentiroso, apenas um ponto de vista entre tantos outros possíveis.

Leo Dias, um dos mais notáveis jornalistas de celebridades, em sua primeira biografia, *Furacão Anitta*, traz sua versão não autorizada da construção desse fenômeno nascido na Zona Norte do Rio de Janeiro. A história de uma garota chamada Larissa, estudante de escola pública, é um roteiro cheio de erros, acertos e, sobretudo, lutas e sonhos. Uma menina com uma capacidade imensa de abrir as portas que insistiam em se fechar diante de si.

Larissa é de Honório Gurgel; Anitta, seu *alter ego*, é do mundo.

Esta biografia costura as trajetórias da menina, da mulher e da artista. É uma história sobre realidade e fantasia, sobre desencontro e reencontro com a família e, acima de tudo, sobre uma fé inabalável na vida.

Larissa é vento; Anitta, furacão. Hoje, a essência já não existe mais sem a força.

Quando Leo Dias decidiu chamar este livro de *Furacão Anitta*, obviamente estabeleceu uma ligação com a primeira gravadora da cantora, a Furacão 2000, mas talvez o título seja ainda uma referência à força e à presença de Anitta nos palcos. Mal sabia ele dos muitos ventos que iria encontrar para formar esse furacão: polêmicas, controvérsias, amores, humores, rumores.

Uma pergunta se faz a cada instante da leitura: qual idade alguém deve ter para merecer uma biografia? Independentemente de idade, uma biografia pressupõe um caminho digno de ser contado — com tropeços, acertos e reviravoltas. Uma biografia deve ser feita quando alguém vai muito além do que o destino traçou. Quando alguém, mesmo com pouca idade, quebra recordes, parâmetros e tabus.

Esta biografia é um ponto de partida, uma fonte de inspiração para quem não tem medo de ir atrás de sonhos e de encarar desafios, uma narrativa sobre quem não se acomodou e ganhou o mundo.

Enquanto Leo Dias terminava sua versão, Anitta escrevia outros capítulos da própria história. Entre separações e novos encontros, a artista continua a se reinventar a cada instante. Esta é apenas uma versão, os primeiros capítulos...

Parece que, quando ela nasceu, um daqueles anjos que vivem à espreita disse: "Vai, malandra, inspirar muita gente na vida..."

Nenhum furacão passa despercebido. Ele sempre muda o que existia e impõe uma nova ordem.

Todo furacão tem um nome. Leiam, se informem e se inspirem com este *FURACÃO ANITTA*!

André Luis da Silva Junior
27 de janeiro de 2019

A PRESENÇA DE LARISSA

A vida na cidade de Guarabira, a 98 quilômetros de João Pessoa, na Paraíba, não era nada promissora para Pedro Júlio Macedo. Em 1964, aos 34 anos, sustentava a família como sapateiro de uma pequena fábrica do município. Um trabalho digno, que ele exercia com orgulho, mas também duro e sem muitas perspectivas de crescimento. Casado com Gloriete Macedo desde 1953, já era pai de sete filhos: Márcia, Marília, Ronni, Júlio, Marleide, Miriam e o recém-nascido Tiago. Todos criados com muito amor e pouco luxo.

A esposa até que tentava ajudar, mas as funções do lar ocupavam praticamente todo o seu tempo, impedindo que usasse suas habilidades de costureira para engordar o orçamento doméstico. Antes de conhecer Pedro, Gloriete era famosa na região pela exuberância dos vestidos de noiva que fazia. Depois, praticamente aposentou linha e agulha para cuidar do lar e da família. Com muito esforço conseguia pegar trabalhos pequenos, que não rendiam quase nada em termos financeiros. Era mais comum vê-la na máquina costurando roupas para os próprios filhos, já que o dinheiro era curto e não dava para vestir as crianças nos magazines da cidade.

Pedro Júlio, no entanto, não reclamava da vida que levavam. Pelo contrário. Forjado sob o sol escaldante do sertão nordestino, estava acostumado às dificuldades impostas pelo mundo e simplesmente fazia o que era necessário para sobreviver.

Mas tinha sonhos. O maior deles talvez fosse a música. Nasceu com um dom especial e transformou essa vocação em paixão. Autodidata, tocava piano, clarinete e saxofone. Numa época em que o pernambucano Luiz Gonzaga já dominava o Brasil com seu baião cheio de dedos, Pedro Júlio acreditava que também tinha uma chance. Tanto que mantinha, a duras penas, uma discreta carreira artística nas noites de Guarabira. Tocava de tudo um pouco: forró, blues, salsa, bolero... Seu repertório era vasto — quase tão grande quanto sua ambição de viver de música. O dinheiro que ganhava nos bares não era suficiente para sustentar a família. Ajudava, claro. Mas expressar sua arte era muito mais do que um ganha-pão. Nem o cansaço da jornada dupla era capaz de estragar aquele prazer.

A realidade, no entanto, é uma exímia destruidora de sonhos. E ela obrigou Pedro Júlio a permanecer bem acordado, com os pés fincados no chão. Sustentar a família em Guarabira não estava nada fácil. A cidade, que na época tinha pouco mais de dez mil habitantes, não oferecia muitas alternativas para ele e, principalmente, para seus filhos. Pedro e Gloriete queriam dar mais oportunidades àquelas crianças. Era chegada a hora de tomar uma decisão radical. E a música, infelizmente, não fazia parte dela. Como acontecia com tantos conterrâneos nordestinos naquela mesma época, a saída parecia ser a pequena rodoviária da cidade. Uma vida de retirante nunca esteve nos planos de Pedro, mas era a melhor opção naquele momento.

E assim foi.

Na cara e na coragem, ele embarcou sozinho rumo ao Rio de Janeiro para tentar fazer a vida no "Sul Maravilha" e, então, reunir novamente a família.

A experiência profissional ajudou, e Pedro conseguiu emprego em um curtume, como modelista de bolsas e sapatos, enterrando de vez o sonho de ser músico. Com os primeiros salários, alugou uma casinha humilde no subúrbio de Guadalupe e mandou o dinheiro para a mulher e os filhos seguirem o mesmo caminho. Naquela semana Gloriete embarcou num ônibus com seis crianças para uma viagem longa e trágica, que culminou na morte de Tiago, ainda bebê. Ele não resistiu aos percalços do trajeto, transformando os primeiros dias no Rio em um tempo de luto e dor. Naquele momento era impossível imaginar que, com um início tão triste, essa mudança daria início a um ciclo que viria a transformar por completo, e para melhor, a vida daquela família.

No Rio de Janeiro, as dificuldades se acumularam. Pedro e Gloriete tiveram mais três filhos: Tadeu, Margareth e Tarcísio. Mas o luto por Tiago nunca foi aplacado, pelo contrário. A dor da perda ficou ainda mais profunda naquela família com uma nova tragédia: ainda criança, Tadeu morreu afogado, deixando marcas permanentes em todos.

Mas, apesar da tristeza, a vida não podia parar. Com as despesas do lar cada vez mais altas, Pedro não tinha nem tempo para pensar em música. Durante um bom tempo, seus instrumentos ficaram guardados, fechados, silenciosos. Gloriete também precisou se desdobrar e, com a ajuda das filhas mais velhas, passou a se dedicar um pouco à costura, oferecendo seus serviços para a vizinhança.

E, apesar de dura, a vida na "cidade grande" começou a fluir. Voltar para Guarabira já não era uma possibilidade.

Na virada dos anos 1980, com os filhos crescendo e contribuindo para a renda da casa, a família Macedo começou a vislumbrar um futuro melhor. E o patriarca pôde se reencontrar com a música. Não de forma profissional, mas com a mesma paixão e alegria de sempre. Instrumentista talentoso, passou a tocar na igreja. Fazia tanto sucesso que era chamado para se apresentar em casamentos de amigos paroquianos. Mas isso era tudo. O sonho de sustentar a família com a música havia se perdido para sempre.

Pior. A genética parecia não ter contribuído para a perpetuação de seu dom. Nenhum de seus filhos parecia ter vocação para a música. Um desperdício...

Pedro Júlio já estava com quase setenta anos quando finalmente entendeu que, às vezes, a vida segue caminhos tortos e torturantes até finalmente chegar a um destino há muito desejado.

Essa compreensão chegou no dia em que ouviu sua neta Larissa cantar pela primeira vez.

Larissa de Macedo Machado nasceu no dia 30 de março de 1993, na Clínica Rio de Janeiro, no Valqueire, bairro na Zona Oeste carioca. O parto aconteceu às 22h45, quase 17 horas depois de sua mãe, Miriam de Macedo Machado, a sexta filha de Pedro Júlio e Gloriete, dar entrada na maternidade. As dores das contrações haviam começado duas semanas antes. Insuportáveis. Daquele tipo que deixam as grávidas acordadas a noite inteira, sem conseguir fazer nada além de buscar alguma posição que alivie o sofrimento. Mas Miriam segurou a onda. Planejava um parto normal. Seu filho mais velho, Renan, havia nascido assim, três anos antes. Não deu. Acabou implorando por uma cesárea.

Mauro Machado, marido de Miriam, não acompanhou o nascimento da filha. Como em muitos momentos importantes, antes e depois daquele parto, estava ausente, viajando a trabalho.

A vida definitivamente não estava nada fácil.

Miriam e Mauro se conheceram no início dos anos 1980, quando a família dela se mudou de Guadalupe para o bairro vizinho de Honório Gurgel.

O rapaz, que era vendedor de baterias de carro, já morava na tranquila rua Dom Francisco de Campos quando a família Macedo chegou por lá e se encantou com a moça. Miriam logo notou o interesse de Mauro e o romance não tardou a acontecer. O que demorou mesmo foi o casamento: dez anos se passaram até que a filha de Pedro Júlio e Gloriete deixasse de ser uma *single lady*. O casal foi morar num puxadinho construído no terreno dos pais de Mauro. Uma casinha simples, apertada. Só uma cozinha americana com uma pequena bancada, um banheiro, um quarto e uma varanda. Nem sala havia. Mas era tudo o que eles podiam bancar. Na época, Miriam recebia um salário mínimo e meio com a venda de artesanato para a Mundial Artefactos e o marido não tinha salário fixo, pois dependia do volume de vendas de cada mês.

Um ano depois do casamento, nasceu Renan. Quem escolheu o nome foi Miriam, em homenagem ao jogador de vôlei galã que fazia muito sucesso nas quadras — e mais ainda fora delas. Uma gravidez planejada, mas que, claro, afetou as economias do lar, exigindo que Mauro aumentasse seus esforços como vendedor. Mas o único dinheiro fixo que entrava na conta da família continuava vindo do trabalho de Miriam como artesã.

Mas...

Quando o pequeno Renan completou dois anos, a Mundial Artefactos faliu de uma hora para outra. A situação apertou, e Miriam começou a procurar um novo emprego. O problema é que não queria deixar Renan em uma creche. Até então, como fazia *home office*, ela podia cuidar do filho. Trabalhar fora seria um transtorno.

Agora, nada é tão ruim que não possa piorar. No meio dessa confusão toda, Miriam descobriu que estava esperando outro bebê. Ela ficou apavorada com a notícia. Não era uma gravidez planejada. Até porque, definitivamente, estava chegando no pior momento financeiro daquela família. Chegou a ouvir de algumas pessoas que talvez fosse o caso de fazer um aborto. Mas rechaçou imediatamente tal sugestão. Além de ser muito católica, o amor pela vida que crescia dentro dela já era imenso.

A questão era que a família não tinha condições de sustentar mais uma criança. E, se Miriam já tinha receio de arrumar um trabalho fora, a gravidez jogou por terra qualquer possibilidade real de um emprego desse tipo. Precisava se virar. Herdeira das habilidades manuais do pai sapateiro e da mãe costureira, Miriam conseguiu uma máquina de costura e, com duas irmãs, montou uma espécie de cooperativa na varanda de casa, oferecendo seus serviços para a vizinhança. Mauro, por sua vez, passava cada vez mais tempo fora. Sua principal clientela no negócio de bateria para carros estava na Região dos Lagos, e ele ficava dias e dias em São Pedro da Aldeia, balneário a duas horas e meia do Rio.

Aos três meses de gestação, uma notícia maravilhosa. Miriam estava grávida de uma menina, seu grande sonho. Letícia seria muito bem-vinda. Sim, Letícia. Miriam queria esse nome, mas, como ela já tinha batizado o primogênito, Mauro reivindicou o direito de escolher como se chamaria a filha. E ele escolheu Larissa.

O enxoval foi praticamente todo feito em família, com a preciosa ajuda de Gloriete e Pedro Júlio, que continuavam morando na mesma rua de Miriam — ela ainda costurando e ele já aposentado.

Larissa já tinha dado provas de que seria uma criança geniosa. Depois de relutar por duas semanas para nascer e obrigar a mãe a implorar por uma cesárea, a menina continuou mostrando sua força.

Deu um trabalhão para mamar, não queria largar a chupeta por nada nesse mundo e começou a falar antes de completar um ano. Também andou cedo e, com um ano e oito meses, já demonstrava uma autonomia surpreendente. Certo dia, aproveitou a porta aberta, pegou uma mochila e seguiu o irmão até a escolinha, que ficava em frente à casa deles. Foi um susto e tanto. Já dava para perceber que era uma criança ágil e precoce. Dizem que ela herdou do pai a desenvoltura e da mãe, o foco.

Ao perceber que Larissa já era tão desenvolvida, a diretora da escolinha sugeriu a Miriam que matriculasse a filha na creche. Quer dizer, tipo creche. Era uma casa na vizinhança com o muro pintado de temas infantis chamada Planeta Doce, onde um grupo de cuidadoras tomava conta das crianças.

Enquanto Miriam se virava nos trinta para conciliar o trabalho na cooperativa de costura com a rotina das crianças, Mauro passava cada vez mais tempo em São Pedro da Aldeia. O casal começava a se distanciar.

Desde a gravidez, aliás, Miriam se ressentia de alguns sumiços mais longos de Mauro. Ela nunca aceitou bem a ausência dele durante o parto de Larissa. E aquela história de Região dos Lagos já estava começando a ficar estranha...

No Carnaval de 1995, decidiu botar Renan e Larissa num ônibus e seguir para São Pedro da Aldeia. Mauro não gostou muito da ideia. No sábado tinha baile no clube, e ele disse que iria sozinho, já que Miriam tinha que ficar com as crianças. Desconfiada, ela pediu a uma amiga para olhar Renan e Larissa e partiu atrás do marido.

Que decepção...

Mauro estava atracado com outra mulher, com o corpo suado, cheio de confete, serpentina e purpurina, curtindo o Carnaval como se não houvesse amanhã. Pior: toda a família do marido estava no clube, vendo aquela cena com a maior naturalidade.

O chão se abriu. O sonho acabou. Miriam nunca percebera o jeito mulherengo de Mauro, nem quando namoravam.

Muito correta, ela não queria mais ficar casada. Mauro insistiu muito, mas não teve jeito. Renan sofreu muito com a separação. Miriam também. Não tinha sido criada para aquilo e não aceitava traição. De forma seca e direta, resumiu a situação: ele não tinha o direito de tirá-la da casa dos pais para tratá-la daquela forma. E por mais de um ano sequer olhou na cara do ex-marido.

Mauro se mudou de vez para São Pedro da Aldeia e via os filhos a cada 15 dias. Não havia uma pensão formal, apenas uma divisão de custos que ele suava para pagar. Assim, aos 35 anos, Miriam se tornou mãe solteira. Cuidava de absolutamente tudo. Não há sequer um registro da presença de Mauro nas escolas em que Renan e Larissa estudaram, por exemplo. Pedro e Gloriete ajudavam da maneira que era possível, mas Miriam tinha sangue nordestino e, acima de tudo, o exemplo dos próprios pais, que abandonaram seus sonhos e lutaram como puderam para criar os filhos.

Depois da separação, Miriam nunca mais se envolveu com ninguém. Já Mauro... Ela até chegou a gostar de uma das namoradas do ex-marido, que tratava as crianças com carinho. Confiava de verdade na moça, que assumiu a responsabilidade de cuidar de Renan e Larissa sempre que eles estavam com o pai. Os dois, inclusive, a tratavam como uma segunda mãe. Mas, no que dependesse de Miriam, os filhos não iriam nunca mais para São Pedro da Aldeia. Ela sabia que, naquela época, Mauro dava pouca atenção a eles e que, na maior parte do tempo, os meninos ficavam sob os cuidados da namorada dele.

A ausência do pai foi muito mais sentida por Renan do que por Larissa. O mais velho chorava frequentemente de saudade de Mauro. Para consolar o filho, Miriam dizia que ele estava trabalhando. Não se sentia confortável de contar abertamente a verdade ao menino.

A matriarca evita falar da traição para os filhos, mas desde sempre disse para Larissa que a garota tinha que ter "certeza absoluta" na hora de escolher o pai dos filhos. Até hoje, passados mais de vinte anos, Miriam não gosta de lembrar como foi enganada, que se matava para cuidar da família enquanto Mauro curtia a vida. Ela guarda tudo isso calada.

Com quatro anos, Larissa foi para a escola Patinha Prosa, também em Honório Gurgel. Um pouco maior do que a Planeta Doce, tinha um projeto pedagógico mais bem-definido. Por isso, a diretora não quis aceitá-la, alegando que a menina ainda era muito novinha. Miriam pediu para que fizessem um teste, pois sabia que a filha era esperta demais. Dito e feito: a pequena arrasou e foi matriculada.

De lá, Larissa foi com Renan para o Colégio Américo de Oliveira, em Marechal Hermes — uma escola particular. Quem pagava as mensalidades era Mauro. Detalhe: sempre atrasado.

Chegar ao colégio não era fácil. A aula começava às 7h15, mas os irmãos saíam de casa ainda no escuro e andavam até o ponto para pegar o ônibus da linha 650 ou uma van. O custo das passagens, no entanto, obrigou Miriam a mudar os filhos de escola. Eles foram para o Colégio São Sebastião, bem mais perto. Dava para ir a pé. Mas a situação financeira da família só piorava, e a solução parecia ser transferir os meninos para um colégio público.

Foi quando Larissa deu a primeira prova de que estava destinada a conquistar o que quisesse por meio da arte.

Mais ou menos nessa mesma época, aliás, a menina já demonstrava ter herdado o dom do avô Pedro Júlio: ela cantava muito bem. Tinha uma voz firme, afinada, muito bonita. E ele não se aguentava de orgulho. Levava Larissa à igreja, aos domingos, para que ela se apresentasse enquanto ele tocava órgão ou violão. Depois de tantos anos, a música finalmente voltava a fazer sentido na vida daquele homem. Era a realização tardia de um sonho, o vislumbre de um futuro que ele havia planejado para si, mas que poderia ser concretizado pela neta.

Mas voltemos ao momento em que o dinheiro ficou curto demais e Miriam planejava tirar os filhos do Colégio São Sebastião.

Larissa gostava muito da escola e não queria sair de lá. Por isso, ficou empolgada quando a direção anunciou um tal de Concurso da Primavera, que daria como prêmio 50% de desconto nas mensalidades do ano seguinte. Seria uma competição entre os alunos para escolher a melhor roupa feita com material reciclado. A menina chegou em casa contando a novidade e garantindo para a mãe que ganharia. Ela tinha sete anos. Miriam não sabia de onde vinha tamanha certeza da vitória.

Apesar de muito nova, Larissa confiava no talento de costureira da mãe. A habilidade manual herdada de Pedro Júlio e Gloriete sustentava aquela família. E a menina sabia que uma roupa feita por Miriam tinha chances reais de vencer qualquer concurso. Além disso, havia a autoconfiança já desenvolvida pelas apresentações na igreja, ao lado do avô. Ou seja: Larissa se sentia imbatível.

Os dias que antecederam o evento foram de muito nervosismo para mãe e filha. Miriam desenhou um figurino; reuniu copos descartáveis e anéis de latas de alumínio.

Era chegada a hora de ir para a máquina.

Vendo aquilo tudo, Larissa transbordava angústia. Seus olhos tensos e ansiosos acompanhavam o movimento hipnotizante das mãos da mãe, que, com a segurança e a habilidade de quem passou a vida se virando do jeito que dava para garantir oportunidades à família, manejava linha e agulha na velha máquina de costura. A apresentação estava chegando. Um palco estava à espera de Larissa. Um palco no qual ela iria subir pela primeira vez, realizando um sonho que a acompanhava desde sempre. Miriam sabia disso e, mesmo nervosa, procurava manter uma postura serena. Não queria deixar a filha insegura. Não naquele momento, tão perto da concretização de um desejo tão importante. No fundo, Miriam não achava que o sonho da filha de ser artista fosse dar em alguma coisa. Mas apoiava mesmo assim.

O figurino finalmente ficou pronto. Larissa achou maravilhoso, mas Miriam estava reticente. Nunca havia costurado nada parecido com aquilo. Por baixo da roupa de copos plásticos e anéis de alumínio, a menina usava um maiô que ajudaria a esconder a barriguinha saliente. A mãe, aliás, recomendou repetidas vezes que a filha murchasse a barriga, pois ela sempre foi "pançuda".

O grande dia chegou. A apresentação seria no pátio do colégio. Quando Miriam viu as outras fantasias, desanimou. Todas eram melhores. Algumas pareciam profissionais, feitas por carnavalescos do Grupo Especial. Mas o diferencial de Larissa era a postura. Sempre altiva, desfilou como se já estivesse carregando a faixa de campeã.

Após a apresentação, todas as crianças trocaram de roupa. Todas menos uma: Larissa. Ela insistiu em permanecer com o figurino produzido pela mãe. Estava tão certa da vitória que ficou sentada na escada do palco, pronta para subir. Miriam pedia a ela para sair dali. Não podia admitir, mas estava envergonhada e com medo de a filha sofrer uma decepção enorme. A certeza da derrota era tanta que nem a máquina fotográfica ela pegou na hora do anúncio dos vencedores.

Quando o diretor começou a anunciar a lista dos primeiros colocados, ficou ainda mais claro para Miriam que o sonho da filha não iria se realizar. Ela não estava na quinta posição, nem na quarta, nem na terceira. Se Larissa estava preocupada, não demonstrava. O fato de não ter ouvido seu nome ser chamado até aquele momento só significava uma coisa para ela: o título.

O diretor então chamou a vice-campeã do Concurso da Primavera, e Miriam começou a caminhar na direção de Larissa, já pensando no que dizer para consolar a menina. No meio do caminho, estacou, atingida pela voz que saía das caixas de som anunciando o nome da grande vencedora: Larissa de Macedo Machado.

A menina explodiu de alegria e subiu correndo ao palco para ser coroada. Lá de cima, a primeira coisa que fez foi procurar a mãe no pátio. E foi fácil encontrar: Miriam era a mais emocionada naquela plateia. Tanto que nem tentava mais controlar as lágrimas. Ali, ela percebeu que havia algo realmente especial na filha, só não podia imaginar o quanto.

O prêmio foi muito bem utilizado, permitindo que Larissa e Renan ficassem mais um ano no Colégio São Sebastião.

Mas, sem a ajuda de Mauro, era impossível manter os dois num colégio particular por muito mais tempo. Miriam pesquisou muito e escolheu a Escola Municipal Itália, em Rocha Miranda, bairro colado a Honório Gurgel. O problema é que nada chegava com facilidade para aquela família. Premiada pela Prefeitura do Rio pela excelência do ensino, a unidade era referência na região. E, claro, não havia vagas disponíveis, obrigando Miriam a tomar medidas drásticas: pegou os filhos pela mão e baixou no gabinete da vereadora Rosa Fernandes para pedir ajuda. Disse que não podia deixar os filhos sem estudar e precisava de duas vagas na Escola Municipal Itália, uma para sétima série e outra para a quinta. Foi tão incisiva que saiu de lá com os filhos matriculados.

Mas Miriam queria mais. Estava na hora de brigar para valer pelo futuro de seus filhos. Bateu de frente com Mauro e obrigou o ex-marido a pagar um curso de inglês para Renan e Larissa. Matriculou os dois no Fisk e achou que tudo estava resolvido. Coitada. Todos os meses recebia recados do curso dizendo que os cheques usados para pagar as mensalidades estavam sem fundo. E lá ia ela resolver mais esse problema.

Para Renan, ir ao curso de inglês era um suplício. Larissa até reclamava, mas ia. Ela estudou por cinco anos no Fisk, tirando notas altíssimas, e foi até chamada para ser monitora. Na Escola Itália não era diferente: ótima aluna, estava sempre com o boletim pintado de azul. Seu desempenho chamou a atenção da diretora Marta Martins, que convidou a menina para fazer parte do Pelotão da Bandeira, um grupo de elite da escola, formado pelos melhores estudantes. Mesmo tendo que frequentar o colégio fora do horário das aulas, ensaiar e participar de desfiles, Larissa não reclamava. Curtia aquilo de verdade.

Na sala de aula, era referência para os colegas. Como só tirava MB (Muito Bom) ou O (Ótimo), vivia sendo chamada para ajudar quem tinha dúvidas ou dificuldades. E quem se sentava perto de Larissa nos dias de prova sempre dava aquela velha esticadinha de olho para conferir as respostas dela.

Para os professores e a direção da Escola Itália, o que realmente chamava a atenção eram o foco e a determinação de Larissa. Ela já mostrava visão de futuro e, principalmente, era uma líder nata.

Essas características já eram conhecidas de Miriam e de toda a família. Aos 15 anos, por exemplo, Larissa disse que não queria festa de debutante. Preferia outro presente. Algo bem estranho. Ela pediu à mãe... uma sala.

A casa era algo que a incomodava bastante. Rolava uma certa vergonha. Não gostava de levar amigas para lá, pois o único cômodo da residência era o quarto. Então, as visitas tinham que se sentar na cama dela ou na da mãe. Miriam tinha conseguido juntar um dinheiro para dar uma festa, mas atendeu ao pedido da filha e fez a obra, transformando a varanda numa saleta.

Nessa época, Larissa já estava no Instituto de Educação da Faetec, na Tijuca, cursando o Ensino Médio em Técnico de Administração de Empresas. Mais uma vez, era o destaque da turma. Só notas boas. Foi lá que aprendeu conceitos fundamentais sobre gestão, finanças e estratégia. E compreendeu que poderia usar aquilo tudo em sua própria vida.

Mas Larissa também tinha um pezinho na turma do fundão, aquela que adora uma bagunça. Era a mais popular da escola, daquele tipo que desperta amores e ódios justamente por causa disso. Vivia colada com Thais Bendicto. As duas moravam longe do colégio e tinham que pegar o metrô quase sempre antes de o sol nascer. Iam cantando pagode nas alturas e chegavam à escola com um pique que nenhum outro colega de turma conseguia acompanhar. Muitos, inclusive, faziam cara feia. As outras meninas, então, nem se fala. Não pela zona que elas aprontavam, mas por ciúmes, mesmo. Larissa ganhou corpo muito cedo. Peitão, bundão. E ainda tinha atitude, sempre confiante. Para completar, era engraçada, brincalhona. Tudo chamativo demais. Os garotos babavam, mas as garotas espumavam de raiva. Ela até tinha uns contatinhos, especialmente entre os meninos mais velhos, mas o maior crush de Larissa na Faetec foi um professor de química. Paixonite aguda mesmo. Às vezes, ela passava do limite. Quando ele entrava em sala, ela costumava falar em alto e bom som: "Ah, professor, queria tanto namorar com você." Ele, claro, ficava visivelmente sem graça e não dava moral para a garota.

Muito extrovertida, não era daquelas que escondem os sentimentos. Sempre corria atrás do que queria. Por que não iria fazer o mesmo quando o assunto eram os homens? Certa vez, no metrô, Larissa avistou um rapaz muito bonito. Quando percebeu que ele ia sair do vagão, rapidamente anotou seu telefone num pedaço de papel e o entregou ao garoto, dizendo: "Colega, você deixou isso cair no chão." O menino pegou, riu e guardou no bolso. Trocaram umas mensagens, mas a história não evoluiu. O curioso é que, tempos depois, voltaram a se encontrar num baile no Olimpo, uma famosa casa de shows do subúrbio carioca. O garoto deu em cima de Larissa durante horas, sem se tocar que ela era a menina do bilhetinho do metrô. Já ela, que tem uma ótima memória fotográfica, se lembrava de tudo e se divertia com a situação.

Se a paquera não evoluiu, o mesmo não se pode dizer da veia artística de Larissa. Desde que o avô Pedro Júlio percebeu sua vocação para a música, a menina nunca mais deixou de cantar, dançar e fazer apresentações caseiras. Nas festinhas da escola, já estava ficando famosa. Sempre que tinha um karaokê, pegava o microfone e não soltava mais. Ninguém reclamava.

Mas não era apenas isso. Os conceitos de administração que estava aprendendo na Faetec já começavam a despertar em Larissa um tino comercial incrível. Sua primeira experiência nesse campo foi na própria escola. O Instituto de Educação tinha uma rádio interna, que entrava no ar na hora do almoço. Mas a programação era um saco. Leitura de poesia, uns informes desimportantes e só. Nada de música, zero animação. Larissa então criou seu próprio programa, batizado de *Os Embalos da Hora do Almoço*, em homenagem ao filme *Os embalos de sábado à noite*, um dos favoritos de sua mãe. Conhecia muito bem o público-alvo — seus próprios amigos, adolescentes como ela, cheios de energia, hormônios e alegria. Atacando de DJ, botou o pancadão pra tocar e virou sucesso imediato.

Curioso é que Larissa já falava que queria ser famosa, mas não pensava em cantar. Para a família e os amigos, não cansava de repetir que ainda iria aparecer na televisão, no Faustão. Pelas costas, os desafetos zoavam dizendo que seria nas videocassetadas. O fato é que o desejo de ser artista estava cada vez mais forte.

Em 2009, aos 16 anos, logo quando a música florescia em sua vida, Larissa perdeu o seu maior incentivador, justamente aquele que compartilhava com ela o mesmo sonho, que a havia orientado e ajudado nos primeiros passos, que enxergava na neta a concretização de um desejo antigo, que estava na família havia décadas. A morte de Pedro Júlio, aos 79 anos, foi um baque e tanto para a garota. O avô sempre fora muito presente, e a relação dos dois era especialmente próxima por causa da paixão pela música. Pouco antes de morrer, Pedro Júlio havia ensinado Larissa a ler partituras e a tocar piano. Ele ainda teve tempo de ver a neta tocar uma única música, "Meu Coração é Para Ti, Senhor", famosa na voz do padre Marcelo Rossi. Não escondeu de ninguém sua emoção e seu orgulho. E partiu dias depois, deixando um vazio enorme no coração de toda a família.

Só que, em vez de apagar a chama acesa por Pedro Júlio, Larissa decidiu que a melhor maneira de manter o sonho do avô vivo era continuar seguindo aquela vocação. Foi quando gravou um vídeo cantando no banheiro de casa, usando um frasco de desodorante para simular um microfone. A música, um funk chamado "A Parada é Essa", fazia muito sucesso na voz de Priscila Nocetti, mulher de Rômulo Costa, o todo-poderoso da Furacão 2000, equipe de som mais badalada do Rio de Janeiro.

Tudo foi feito de forma planejada, mas para parecer casual. Antes de fazer o tal vídeo, Larissa passou semanas tentando se aproximar da equipe da Furacão 2000 que ia aos bailes gravar para o programa exibido na TV. Ela sempre se posicionava na direção da câmera e dançava fazendo caras e bocas, até que, um belo dia, conseguiu chamar a atenção. Conversa vai, conversa vem, e a garota foi se tornando amiga daquelas pessoas. E, quando eles começaram a segui-la no Orkut, então a maior rede social do Brasil, Larissa deu *start* em seu plano. Em breve a equipe da Furacão iria descobrir que ela cantava. E muito bem.

Pediu uma câmera digital emprestada de uma amiga, fez o vídeo da maneira mais amadora possível, subiu no YouTube e publicou a gravação no Orkut, cruzando os dedos para que tudo corresse da maneira que havia pensado. Naquela época, isso não era nada comum. Artistas aspirantes ainda não tinham descoberto o poder da internet para divulgar seus trabalhos. Mas Larissa estava, claramente, à frente de seu tempo.

Semanas depois de o vídeo ser publicado, ela foi procurada por um rapaz chamado Henri Duarte, que dizia ser da Furacão 2000. Ele a convidou para fazer um teste. "Claro que é um golpe", Larissa pensou. Alguma inimiga querendo zoar com a cara dela. Mas o sujeito insistiu tanto que a garota resolveu checar. Ligou para um dos integrantes da equipe com quem havia feito amizade nos bailes e confirmou tudo. De fato a Furacão 2000 estava interessada nela.

O plano havia dado supercerto.

No dia combinado, Larissa e Miriam chegaram juntas ao estúdio. Ela tinha escolhido uma música da Mariah Carey para cantar. Sabia muito bem que a americana era considerada uma diva do pop e dona de uma voz poderosa. A escolha, portanto, tinha uma intenção clara: Larissa queria lacrar. E lacrou. Foi aprovada de primeira, sob aplausos de quem assistiu à apresentação. A direção artística da Furacão 2000 designou o DJ Batutinha para acompanhar os primeiros passos da nova cantora da casa. Ele então fez uma música inédita para Larissa cantar.

Ou melhor, Larissa não cantaria nada.

Batutinha achava aquele nome fraco e sugeriu que a garota adotasse outro, mais sexy, condizente com uma carreira no mundo do funk, onde as mulheres provocantes e sensuais tinham mais espaço. Larissa concordou com a análise e, para desgosto da mãe, topou escolher um nome artístico.

A decisão foi rápida e certeira. A principal inspiração foi a personagem da minissérie *Presença de Anita* da TV Globo exibida em 2001. Uma menina que era sexy e poderosa e tinha um quê de ingenuidade ao mesmo tempo.

Naquele momento, Larissa de Macedo Machado deixava o papel de protagonista de sua própria vida.

Nascia ali o furacão chamado Anitta.

FURACÕES EM ROTA DE COLISÃO

Em um mundo digital, em que a vida on-line ocupa cada vez mais o tempo das pessoas, especialmente dos jovens, é emblemático o fato de a personagem Anitta ter surgido com a ajuda da internet. Mas ela precisava fazer um teste em um palco "de verdade" para confirmar se aquilo tudo que os produtores e diretores da Furacão 2000 tinham visto na web era real. E ela foi escalada para uma apresentação na Via Show, em São João de Meriti, na época uma das mais famosas casas noturnas do Rio, onde havia um paredão de caixas de som tão grande e potente que fazia tremer os carros que passavam pela via Dutra, a dezenas de metros de distância.

Era ponto de encontro da massa funkeira, que aproveitava promoções como "damas grátis até a meia-noite" e dose dupla, tripla ou até quádrupla de bebidas alcoólicas para se divertir sem gastar muito. E a diversão incluía, claro, um batidão frenético. Por isso a Furacão usava o palco da Via Show para testar seus novos contratados. Era quase um concurso de calouros, um *The Voice* da vida real. Se eles fossem aprovados ali, o sucesso já estava encaminhado.

No dia da primeira apresentação de Anitta, havia tantos concorrentes que formou-se uma fila. A maioria esmagadora composta por jovens do subúrbio, com histórias muito parecidas, todos sonhando com uma chance de brilhar no mundo do funk e mudar de vida.

Nos bastidores, enquanto esperava sua vez de subir ao palco, a aspirante a cantora foi apresentada a Duh Marinho. Ele também estava lá para ser testado. Conhecia bem o mundo do funk e tinha um faro afinadíssimo para o sucesso. Ele foi chamado primeiro e fez uma apresentação correta, mas morna, que não empolgou a plateia.

Chegou a vez de Larissa assumir definitivamente o papel de Anitta. Sua família inteira estava lá para dar apoio. Ou melhor, como em quase todos os momentos importantes de sua vida, até ali faltava o pai.

Quando seu nome foi chamado, houve um certo frisson no público. Naquela época, as cantoras de funk pareciam todas saídas de um mesmo pomar, batizadas com nome de fruta ou variações pouco criativas tiradas do universo hortifrutigranjeiro. Por isso, "Anitta" por si só já chamava a atenção. Mexia com o imaginário das pessoas sem, necessariamente, ser explícito.

Com o paredão de caixas de som de um lado e a multidão ávida por um bom funk do outro, Anitta ficou um pouco intimidada. Afinal, estava sozinha, sem bailarinos, sem nada. Mas encarou o desafio. Com uma voz bonita e uma enorme presença de palco, ela botou todo mundo para dançar. Foi algo tão impressionante que, na mesma hora, a mãe e o irmão de Larissa se olharam, emocionados, convictos de que a garota estava no caminho certo. A trupe que acompanhava Duh Marinho teve a mesma impressão. Um deles sentenciou: "É isso que falta no Duh, essa presença de palco."

Mas a confiança que a pequena Larissa demonstrou no Concurso da Primavera, na época do Colégio São Sebastião, havia desaparecido. Agora, já no papel de Anitta, ela saiu arrasada do palco, chorando muito. Tinha certeza de que o teste fora um fracasso e que nunca deveria ter topado aquela bobagem toda...

A postura negativa contrastava totalmente com o entusiasmo de Miriam e Renan, que correram para festejar o sucesso da apresentação. Acabaram consolando a menina, dizendo que a plateia havia amado tudo e que ela definitivamente era uma estrela. Estavam certíssimos. Anitta passou com louvor naquela prova de fogo.

Nessa época, Larissa estava estagiando no escritório da Vale, uma das maiores empresas do Brasil, e tinha a chance concreta de seguir uma carreira na mineradora. Para chegar lá, passou numa prova concorrendo com mais de cinco mil pessoas para apenas cinco vagas e, efetivamente, fez jus ao cargo. Exercendo funções administrativas e recebendo uma bolsa de seiscentos reais por mês, era considerada uma funcionária exemplar. Para não chegar atrasada, acordava às cinco da manhã e passava mais de duas horas no trânsito. Em dia de chuva era muito pior.

Comprometida com a liturgia do cargo, Larissa logo percebeu que não tinha roupas adequadas para encarar o trabalho naquele escritório. Todo mundo era chique, e ela tinha um guarda-roupa típico de adolescente funkeira. Então, para aumentar sua renda e conseguir montar uns looks mais sóbrios, começou a trabalhar também como vendedora de loja.

A jornada dupla era extenuante. Ela chegava a chorar, mas não desistia. No dia a dia, só recebia elogios da chefe, Daniele Braga. Trabalhar na Vale era sinônimo de estabilidade e oferecia grandes chances de crescimento profissional. Aliás, ela chegou a ser sondada para contratação, com carteira assinada e todos os direitos trabalhistas.

De uma hora para outra, os dois sonhos entraram em choque. Ao mesmo tempo que a Furacão 2000 acenava com uma carreira no funk, a Vale oferecia uma oportunidade de ouro para uma garota de 17 anos que nasceu e cresceu numa família sem muitos recursos.

Era hora de tomar uma decisão.

E Larissa foi em busca de apoio. Conversou com o pai, e Mauro foi claro e direto: ela deveria aceitar o emprego na Vale. Na visão dele, aquela parada de funk não dava futuro a ninguém. Já Miriam perguntou qual era o verdadeiro sonho da filha. A resposta veio após alguns segundos:

— Ser artista.

Com um abraço repleto de amor, Miriam concluiu:

— Conte comigo, estarei ao seu lado.

Ao contrário de seu avô, que nos anos 1960 se viu obrigado a abandonar o sonho de ser músico para sustentar a família, a neta pôde optar pela arte, seguindo seu coração.

Quem pediu demissão da Vale foi Larissa, mas quem assinou o contrato com a Furacão 2000 foi Anitta. Começava ali uma distinção entre pessoa e personagem que nunca mais deixaria de existir.

A intenção da Furacão 2000 era colocar duas meninas seminuas dançando ao lado de Anitta, para chamar bastante atenção. Ela não queria. Como frequentadora assídua de bailes funk, ela percebia que esse modelo estava esgotado. Havia muita gente se apresentando da mesma maneira, e ela seria apenas mais uma na multidão. Conversando com seu novo melhor amigo, Duh Marinho, foi aconselhada a ir até Niterói em busca de uma bailarina que dançava *stiletto*, um estilo novo de dança, supersensual, em que as bailarinas usam sapatos ou botas de salto alto, daqueles tipo agulha. E lá foi ela. Quer dizer, lá foi Miriam em seu carrinho velho, sem conhecer nada de Niterói. Foi um sufoco, mas as duas conseguiram encontrar Arielle, a dançarina. Iniciou-se ali uma parceria profissional que dura até hoje.

Um detalhe curiosíssimo sobre o tal carro que Miriam usou para ir até Niterói. Ele havia sido comprado por Mauro, que, sempre enrolado, não conseguiu pagar as prestações. Assim, a financeira mandou retomá-lo. Para fugir dessa situação, Mauro escondeu o veículo na casa da ex-mulher, em Honório Gurgel, já que toda a documentação estava direcionada para São Pedro da Aldeia. A tramoia deu certo e acabou beneficiando Miriam, que, de uma hora para outra, "ganhou" um carro.

Apesar do contrato com a Furacão, Anitta sabia que nada iria cair do céu. E decidiu arregaçar as mangas. Alugava um espaço para ensaiar, comprava as roupas das dançarinas e pagava cachê a elas a cada apresentação. Na equipe, muita gente torcia o nariz para aquilo tudo. Ela chegou a levar um passa-fora de um diretor da Furacão: "Menina, acorda, você está se achando a Madonna, é?"

Um parêntese. Quase dez anos depois desse episódio, em 2018, Anitta foi convidada para um dueto com ninguém menos que a própria Madonna. E contou essa história para a estrela internacional. As duas se escangalharam de rir com a falta de visão do tal diretor.

Fato é que, naquela ocasião, Anitta assinou um contrato de cinco anos. Miriam queria que fosse de apenas um ano, mas a filha queria estabilidade. Como se estar na Furacão gerasse isso para alguém...

Comandada desde os anos 1990 por Rômulo Costa, a empresa já estava passando por dificuldades financeiras quando contratou Anitta. Seu modelo de negócios sempre foi apostar em novos artistas, explorando ao máximo suas descobertas. O cachê de Anitta era de 150 reais por show, por exemplo. Dobrava quando ela era chamada para cantar numa festa de 15 anos.

O grande mérito da equipe é ter uma quantidade enorme de bailes por fim de semana, espalhados pelos cantos mais distantes do Rio. Mesmo onde o Estado não entra, a Furacão chega. Rômulo Costa, dono da empresa, sempre soube lidar muito bem tanto com o poder oficial quanto com o paralelo.

Seu problema é não conseguir separar a vida pessoal da profissional. Rômulo teve nas mãos a maior artista do Brasil da atualidade e não soube tirar proveito disso. Não queria criar uma artista que fosse maior que sua mulher, Priscila Nocetti, que há anos tenta emplacar um sucesso fora do mundo específico do funk. Por isso, a Furacão não investiu praticamente nada na carreira de Anitta.

Mas, como ela tinha um contrato que lhe permitia cantar praticamente todo fim de semana e, principalmente, conquistava novos fãs a cada dia graças aos shows e também aos vídeos publicados nas redes sociais, não era hora de abandonar o sonho. Anitta, então, recorreu ao irmão, Renan. Ele virou DJ e começou a trabalhar com ela, dando conselhos e administrando a carreira da cantora. Seu estilo "come quieto" pode enganar as pessoas, mas o fato é que Renan teve uma importância fundamental no início da carreira de Anitta e, até hoje, é a pessoa em quem ela mais confia no ambiente de trabalho.

Ele trancou a faculdade e assumiu todas as funções que podia para ajudar a irmã. Foi motorista, produtor, DJ, empresário... Miriam também se envolveu com o novo trabalho da filha. Ainda não dava para largar a cooperativa de costura que havia montado com as irmãs, mas tinha que acompanhar a menina nos shows, já que ela ainda era menor de idade. Uma das funções de Miriam era receber o cachê das apresentações. Certa vez, numa comunidade em Niterói, ela estava no "camarim" (na verdade, um quartinho de alvenaria ao lado do palco) quando vários bandidos armados até os dentes entraram, perguntando quem iria receber. Só tinha Miriam ali. Era dela a obrigação. Tremendo, recebeu o dinheiro das mãos do traficante e decidiu checar a quantia recebida. Só que contar dinheiro na frente de um traficante significa duvidar da palavra dele. "Está certo", disse o mais mal encarado dos bandidos. Naquele exato momento, ela parou de contar e se deu conta de seu "erro".

Um dos primeiros shows de Anitta foi em Rocha Miranda, bairro do subúrbio carioca, numa casa de shows chamada Dubai. E, curiosamente, ela já tinha um fã ardoroso, chamado William. Diga-se de passagem, o único. Isso a deixava tão feliz que ela fazia questão de levá-lo a suas apresentações. Literalmente. William ia de carona no carro de Miriam. O engraçado é que, como a personagem ainda era muito recente na vida da família, a mãe ainda estava habituada a chamar a filha de Larissa. No dia do show em Rocha Miranda, o combinado foi buscar William na estação de trem de Madureira. No caminho, Anitta reforçou que só queria ser chamada por seu novo nome e recebeu o "ok" de Miriam. Na estação, quando Anitta já estava fora do carro, cumprimentando William, começou um tiroteio no morro da Serrinha, ali ao lado. Miriam, desesperada, gritou:

— Entra, Larissa!

Já dentro do veículo, o fã quis saber:

— Quem é Larissa?

Ali, em meio ao tiroteio, Miriam entendeu perfeitamente a necessidade da personagem. E, em público, nunca mais chamou a filha pelo nome de batismo.

Voltando aos problemas com a Furacão 2000, sua relação com a equipe estava cada vez pior. Raramente uma ideia sua era aprovada. Pior: por total falta de opção, Anitta havia começado a compor suas próprias canções. Ninguém lá dentro a ajudava com nada e, para apresentar alguma obra original, só comprando de algum compositor. Sem dinheiro para nada, a única opção foi forçar a cabeça para criar suas próprias músicas. Até porque ela estava cansada de se apresentar cantando sucessos de Naldo, Claudinho & Buchecha, MC Brunninha...

Logo de quem.

Brunna Lopes de Andrade também era artista da Furacão, uma jovem promissora que fazia um estrondoso sucesso no mundo do funk quando Anitta chegou à empresa. A mãe de MC Brunninha, Jane, era o tipo mãe de *Miss*. Jogava na filha todos os seus sonhos frustrados de uma carreira artística. Era ela quem escrevia as músicas para a filha cantar e atuava como sua estrategista. Valia quase tudo em nome da carreira. Brunninha teve um caso com Jonathan Costa, filho de Rômulo, e isso garantia alguns privilégios.

Quando Anitta chegou, Jane logo percebeu que a nova contratada tinha um enorme potencial. E não queria competição. O grande erro dela, no entanto, foi achar que o mundo se resumia à Furacão, enquanto Anitta sabia que a empresa seria apenas seu primeiro passo — necessário, mas passageiro.

Certa vez, Jane fez um escândalo com Anitta em um dos estúdios para ensaio na Furacão. Como havia só aquele espaço para treinar coreografias, era necessário marcar hora. A mãe de MC Brunninha invadiu o ensaio da rival aos berros, dizendo que ela roubara a hora de sua filha. Tudo o que pudesse fazer para impedir o crescimento de Anitta, Jane faria. Plantar notas na imprensa, exigir prioridade na gravação de DVD da empresa... Mãe e filha se esqueceram da carreira e fizeram da vida uma perseguição à rival mais talentosa.

Essa obsessão durou anos. Mesmo depois de ter saído da Furacão, Anitta continuou sendo assombrada por aquelas duas. Inclusive, quando ela já estava com novos empresários, seu escritório decidiu entrar na Justiça para impedir Brunninha de falar o nome de Anitta. Isso mesmo. Eles perceberam que a estratégia de Jane para manter a filha na mídia era fazer com que a menina falasse mal da rival. Apesar de ser um processo inusitado, a Justiça deu ganho de causa a Anitta, estabelecendo uma multa de quinhentos mil reais para cada vez que a inimiga falasse sobre ela em público.

Já em baixa, a carreira de MC Brunninha caiu em desgraça total. Ela ainda foi vista no reality show *A Fazenda*, da Record, famoso por tentar dar uma sobrevida a subcelebridades polêmicas e desaplaudidas. Por fim, tentou se eleger vereadora, recebendo míseros 1.430 votos. Nada diferente do que se esperava de uma artista que achava que o mundo era do tamanho da Furacão 2000.

O crescimento de Anitta era visível na Furacão. Depois de "Eu Vou Ficar", ela emplacou outro *hit*, "Menina Má", lançado em março de 2012. A canção é uma versão moderna de "Baba", grande sucesso da carreira de Kelly Key. Conta a história de uma menina que fora desprezada por um rapaz, cresceu e teve a chance de dizer um "não" para ele.

Mas "Menina Má" é muito mais do que isso. Além de ser a primeira música composta por Anitta, marcou um momento extremamente difícil na vida da artista: foi escrita durante uma crise de depressão fortíssima, que por pouco não encerrou de vez a carreira da cantora.

Ela acabara de perder a avó, dona Gloriete, a quem era muito apegada. Ela morreu no Dia das Mães, e Anitta não pôde nem ficar com a família, pois precisava cumprir uma agenda de shows para garantir um cachê de mil reais. Renan, seu irmão, a acompanhou nas apresentações. Ele já atuava como DJ e, naquela noite, tocou chorando o tempo todo.

Tudo isso porque a cantora já sustentava a casa. Seu pai estava falido. Seu irmão havia largado a faculdade para acompanhá-la nos shows, assim como sua mãe, que também tinha parado de trabalhar como artesã e costureira para ajudá-la. Ou seja: a única pessoa capaz de botar comida na mesa era a própria Anitta. Ela era a única fonte de renda da família. Havia ainda o agravante de ter acabado de negar a proposta de efetivação na Vale, abrindo mão de um emprego promissor na mineradora para apostar todas as fichas no sonho de fazer sucesso como funkeira. Portanto, não tinha mais uma receita fixa.

Justamente nessa época, ela levou uma rasteira profissional que a deixou sem chão. Batutinha, o DJ que havia respaldado a contratação de Anitta pela Furacão e que estava na crista da onda por ajudar Naldo a fazer sucesso com "Amor de Chocolate", pulou fora da equipe, assinando com a Via Show Digital. Aquilo bateu estranho. Se ele sabia que ia sair, por que a incentivou a fechar com Rômulo Costa?

Batutinha ainda chegou a prometer que ia levar Anitta para sua nova equipe, mas, na real, não fez nada. Pior: ele havia combinado de escrever uma música para a ex-pupila, mas, na hora de entregar, cobrou quatro mil reais pela canção, acabando com todas as economias que a artista tinha feito até então.

Sem seu "padrinho", Anitta sofreu ainda mais com a falta de investimento da Furacão. Só para se ter uma ideia, durante meses ela foi proibida de participar dos programas que a equipe mantinha na FM O Dia, na 107 FM e na Band.

Achou que tinha acabado? Achou errado.

Como dizem por aí, não tem nada tão ruim que não possa piorar. A rasteira de Batutinha machucou, sem dúvida. Mas foi uma traição amorosa que consolidou o quadro de depressão de Anitta.

Dois dias depois de ser abandonada pelo DJ na Furacão, a cantora descobriu que estava sendo passada para trás por seu primeiro namorado mais sério, Diego Villanueva, o Mr. Thug do grupo de funk Bonde da Stronda.

Os dois ficaram juntos por um ano e meio, e Anitta confiava plenamente no rapaz. Ele era suburbano como ela, com um discurso moralista e conservador. Mas sabe aquela famosa pulguinha atrás da orelha? Pois é. Um belo dia, ela apareceu. E levou a cantora a invadir o e-mail do amado. Um a zero para a intuição... Ela descobriu que estava sendo traída. Pior, era tanta baixaria que ela ficou enjoada. Surubas, prostitutas... tinha de tudo um pouco nas mensagens.

Com tantas derrotas, foi difícil segurar a pressão. Anitta precisou de tratamento psiquiátrico, tomou antidepressivos e pensou seriamente em abandonar tudo.

Mas a música a salvou. Em vez de desistir, Anitta insistiu. Canalizou a dor e a frustração que estava sentindo para dar início a um processo criativo que a transformaria em uma *hit maker* no mercado brasileiro.

"Menina Má" foi a primeira de muitas letras que viriam a fazer sucesso nos anos seguintes. Emblematicamente, ela é uma história de superação. Anitta precisava dizer ao mundo — e a si mesma — que havia superado aquilo tudo e que iria vencer, apesar de todos os obstáculos.

Tinha um outro probleminha. Nascida e criada na geração YouTube, Anitta sabia que precisava fazer um clipe para chamar a atenção. Até porque, boicotada na Furacão, seria praticamente impossível emplacar a música na rádio. Raspou suas economias para alugar um ferro-velho próximo à avenida Brasil e, com a ajuda da amiga Marcella Vinhaes, gravou o vídeo, que tinha um roteiro longo e arrastado, mas que cumpriu seu propósito: a música virou um sucesso.

Foi graças a "Menina Má" que Anitta começou a ser notada fora do circuito Furacão 2000, abrindo caminho para um rompimento definitivo com a produtora. Até porque a situação lá continuava péssima. Mesmo emplacando shows e sendo o principal nome da empresa, os privilégios continuavam sendo de MC Brunninha e, lógico, de Priscila Nocetti. E Anitta não queria usar os métodos de ambas para conseguir as vantagens dentro da empresa. Sua única alternativa era realmente sair de lá. O problema é que no meio do caminho estava Rômulo Costa. Para quem não viveu a década de 1990, na época Rômulo era o principal nome do funk no Brasil. O homem dos bastidores. Mal comparando, é o que o KondZilla se tornou a partir de 2015 — só que sem a soberba de Rômulo, a ostentação da família Costa nem a desorganização da empresa.

Decidida a sair da Furacão, Anitta levou sua mãe até o escritório da empresa, no Irajá, com um único objetivo: quebrar o contrato com a produtora. Achavam que seria tranquilo. Coitadas. Em poucas palavras, Rômulo deu um choque de realidade nas duas. "Ah, vocês querem sair? Tudo bem, mas deem como encerrada a carreira da Anitta, tá bem? Eu controlo quase todos os bailes da cidade, tenho linha direta com a FM

O Dia (na época, a Furacão comprava um horário na rádio) e conheço absolutamente todo mundo do funk carioca. Ou seja, sem a Furacão, você não é nada." Foi um balde de água fria. Com sua habitual arrogância, Rômulo ainda provocou: "Mas olha, faz assim. Vocês podem ir tentar a carreira fora daqui. Mas, quando já estiverem passando fome, bate aqui na porta que eu ajudo vocês."

Anos depois desse episódio, Anitta foi surpreendida por um chamado de Priscila Nocetti. A primeira-dama da Furacão a procurou e pediu que ela simplesmente assumisse a gestão da equipe, se tornando a nova empresária deles. A profecia de Rômulo Costa havia falhado feio. Anitta, obviamente, negou a proposta e seguiu sua carreira ascendente, enquanto seus ex-patrões continuavam afundando.

Mas, na ocasião em que Rômulo rogou a tal praga, foi difícil segurar a onda. Anitta era muito nova e inexperiente, assim como sua mãe e seu irmão, que atuavam na gestão de sua carreira. Eles tiveram receio de pagar para ver e acabaram cedendo à chantagem. De fato, não era hora de desistir. Algo dizia a Anitta que faltava muito pouco para ela conseguir sair daquela roubada. E assim continuava fazendo seu trabalho por fora, sem apoio da Furacão. Depois de "Menina Má", foi a vez de emplacar outro sucesso: "Meiga e Abusada". Lançada em julho de 2012, ganhou um clipe caseiro, produzido pela equipe de vídeo de Dennis DJ.

A relação com Rômulo Costa estava cada vez mais difícil, e o confronto com o "paizão", como ele gosta de ser chamado, era inevitável. Mesmo sem o poder que teve nos anos 1990, ele ainda vivia com o rei na barriga, se achando mais importante do que realmente era. E estava empenhado em atrapalhar os planos de Anitta e evitar que ela fizesse sucesso.

O que ele não sabia era que, naquele momento, outros personagens já haviam entrado em cena: uma dupla de empresários modernos, agressivos, com uma visão de negócios diferente, muito mais ampla do que Rômulo jamais tivera. Eram rivais à altura para aquela batalha que estava prestes a começar.

PRE-PA-RA

Kamilla Fialho e Raphael Brahma já tinham feito a carreira de Naldo estourar nacionalmente. Tanto que ele era apontado como o Chris Brown brasileiro. Brilhante comparação, aliás. Ambos afundaram suas carreiras em escândalos envolvendo agressões físicas a mulheres. Enfim, os empresários estavam em busca de um talento feminino. Eles perceberam que uma mulher faturaria muito mais que Naldo. E o mundo, naquele momento, idolatrava as divas da música: Beyoncé, Rihanna e Katy Perry. O Brasil precisava de uma versão nacional de uma diva.

Brahma conheceu Anitta primeiro. Só depois a cantora foi apresentada a Kamilla, que faria o papel de sua melhor amiga e maior confidente durante alguns anos. A empresária tinha, na época, uma boa imagem no meio artístico. Circulava bem nas gravadoras e usava seu charme e sua beleza para conquistar o que queria na vida: muito dinheiro. Ex-mulher do DJ Dennis, um dos mais famosos do Brasil, sempre esteve atrelada à música e, principalmente, ao funk. Seu maior erro talvez tenha sido dar mais valor à fama e aos holofotes.

E, quando percebeu o potencial de Anitta, cresceu o olho.

Marcaram um encontro para se conhecerem melhor. Kamilla queria entender quem era aquela garota, descobrir seus objetivos profissionais. De longe, Anitta parecia bobinha e uma presa fácil. De perto, a história era bem diferente. Ambiciosa e sem medo de encarar desafios, a cantora tinha objetivos muito claros, que foram expostos logo na primeira conversa entre as duas. Ela não queria ser a "nova Beyoncé" nem a "nova Rihanna", muito menos a "nova Katy Perry". Ela queria ser a "nova Anitta".

O crush profissional entre Kamilla e Anitta cresceu. E as duas perceberam que era chegado o momento de romper com a Furacão para a carreira decolar.

Uma nova reunião foi marcada com Rômulo Costa, só que, dessa vez, Anitta iria acompanhada por Raphael Brahma, que comandaria a negociação. O empresário se assustou quando chegou ao prédio da produtora, em Irajá. Parecia um galpão abandonado, uma decadência só. Pessoas à toa circulando, algumas deitadas em sofás apenas ouvindo música. O "paizão" estava em sua sala, a única com ar-condicionado decente e uma estrutura que contrastava com o estado de quase falência em que se encontrava o restante do escritório. Na mesa, um MacBook de última geração impressionava. Mas Anitta sabia que o computador servia basicamente para Rômulo fazer o que mais gostava: jogar paciência.

Começa então a delirante negociação de Rômulo. Ele pede quinhentos mil reais para liberar Anitta. Afinal, era nítido o interesse de Raphael Brahma na cantora. Estava praticamente estampado na testa do empresário, piscando em letras néon gigantes. Para justificar seu delírio, o "paizão" fez uso de sua tradicional lábia. Quis apresentar relatórios de investimento na carreira de Anitta. Chegava a ser patético. Todos os "investimentos" eram nos produtos da própria Furacão: no programa de TV, que rodou por emissoras como CNT, Band Rio e RedeTV!, todos com pífia audiência e comandados pelo casal Rômulo e Priscila Nocetti, que podem ter tudo na vida, menos carisma. Ah, e ainda tinham as execuções em rádio. Lógico, nos horários dos programas que a própria Furacão comprava nas estações.

Nada muito fiel à realidade, já que a produtora sabotava o crescimento de Anitta.

Brahma foi duro na negociação e conseguiu reduzir à metade o valor inicialmente pedido por Rômulo, que saiu feliz da vida com 250 mil reais no bolso por uma artista para quem ele não dava muita bola.

Anitta teve a breve ilusão de que o dinheiro poderia ser usado para saldar parte das dívidas que a Furacão tinha com funcionários, mas logo descobriu que seus ex-colegas da produtora continuavam sem receber direito e deu graças a Deus por ter se livrado daquela máquina de explorar jovens cantores.

Fora da Furacão, o mundo era realmente promissor. Ela assinou um contrato com a K2L, de Kamilla Fialho, Raphael Brahma e Juliana Mendes, e imaginou que seus problemas haviam finalmente acabado.

Coitada.

Os papéis na K2L eram muito bem definidos: Kamilla cuidava da grana — por isso, com ela não tinha jogo mole. Artista para ela é como qualquer outro funcionário e não pode ter vontade própria. Na maioria das vezes, a empresária precisava gritar para se fazer entender. E sua beleza era fundamental para os negócios. Já Brahma era o artista, que preferia ficar famoso do que rico, até porque já nascera em berço de ouro. Ele era o mais alheio a tudo o que acontecia. Era bonzinho demais para conviver com Kamilla. Juliana exercia funções burocráticas e era coadjuvante na história.

Na época em que fechou o contrato, Anitta ainda era uma artista inexperiente e até mesmo ingênua. Não ficou sabendo, por exemplo, que Kamilla já estava brigando na Justiça contra Naldo, exigindo mundos e fundos do cantor em quem havia investido até o ano anterior.

Mas o fato é que, mesmo inexperiente e ingênua, Anitta chamava a atenção por onde passava. Além de seus novos empresários, ela encontrou dois mentores musicais que praticamente a adotaram: os compositores Umberto Tavares e Carlos Costa, o Mãozinha. E seu talento também atraiu o investidor Gerson Faria, o Gersinho, que colocou na carreira de Anitta, via K2L, exatos 263 mil reais.

O contrato de Anitta com a K2L era de sete anos e não havia um salário fixo. Kamilla pagou os 250 mil reais da multa à Furacão, e a cantora teria que devolver esse valor aos poucos. De qualquer maneira, a artista tinha direito a uma participação nos lucros que gerava, recebendo algo como 25 mil por mês.

A meta, claro, era transformar Anitta em uma artista de verdade. Para isso, a primeira coisa a se fazer era mudar seu estilo de vida. Os empresários criaram uma agenda repleta de atividades, desde aulas de canto e dança até treinamento de mídia, para falar com a imprensa. Mas, como a cantora continuava morando no longínquo bairro de Honório Gurgel, não era nada fácil cumprir tais compromissos. Aliás, se tirar Anitta de Honório Gurgel já era difícil, imagine tirar Honório Gurgel de Anitta? Ela ainda se vestia como uma típica adolescente do subúrbio, estilo gostosona. Pela região, ela sempre fez sucesso, visualmente falando. Ela amava blusinhas curtas, que deixavam sua barriga à mostra. Uma senhora "pochete", que não causava estranhamento nos bailes funk da Zona Norte do Rio, mas era um acinte no circuito Barra-Zona Sul carioca, onde ela precisava bombar se realmente quisesse fazer sucesso.

Anitta demorou para entender essa diferença. Abandonar os tops curtos e os shortinhos apertados não era algo que ela imaginava ter que fazer. Até porque, de fato, não havia problema nenhum em seu look. Kamilla teve que conversar muito com a cantora para mostrar que existia uma elite de nariz empinado ávida por consumir a cultura funk desde que viesse "embalada" de outra forma.

Na batalha para tornar Anitta conhecida por quem realmente importava, Kamilla botou a pupila a tiracolo e saiu circulando pelos points mais bombados do Rio. Seu plano era tornar a cantora amiga dos maiores influenciadores da opinião pública do segmento jovem, especialmente os das classes mais populares. Sendo assim, conhecer David Brazil era fundamental. Gago, nordestino, nascido em família pobre, ele subiu na vida feito um meteoro quando, nos anos 1990, começou a circular entre as celebridades cariocas. Tanto que acabou se tornando promoter de uma famosa churrascaria e do maior camarote do Carnaval do Rio. Por sua origem, David é desprovido de qualquer preconceito inicial. Além disso, tem um faro único para o sucesso. Ele nunca vai tratar mal a ninguém, mas sabe exatamente quem é quem na fila do pão. E David viu em Anitta algo diferente. Tanto que, na mesma hora, pegou o celular e ligou para a ex-BBB Mayra Cardi, pedindo para que ela aconselhasse a cantora sobre o que vestir e, especialmente, sobre como perder peso rapidamente. Para ele, a barriga de Anitta, naquela época, era uma afronta.

Kamilla concordava em gênero, número e grau. O visual de Anitta a incomodava demais, principalmente os seios grandes e o nariz desproporcional ao rosto. E, para isso, não havia alternativa a não ser fazer uma plástica. Como a cantora ainda não era muito conhecida do público, fazia sentido cuidar disso logo, insistia a empresária. Anitta cedeu e se submeteu aos procedimentos estéticos com o cirurgião Marcio Bistene. E, ao contrário do que Kamilla e a K2L fizeram circular na época, as operações não foram bancadas pela empresa, e sim pela própria cantora, que pagou sozinha os vinte mil reais das cirurgias.

Talvez o pior investimento que fez na vida.

Anitta odiou o resultado. Seu nariz ficou destruído por dentro e seus seios passaram semanas em carne-viva. Do dia para a noite, sua autoestima foi para o lixo. Uma situação delicadíssima. As marcas no busto eram tão feias que a cantora passou a ter vergonha de se olhar no espelho e quase entrou em depressão. Logo ela, que sempre lidou muito bem com o próprio corpo e nunca teve problema em ficar nua. Mas, depois da tal cirurgia, tudo mudou. Nem sexo Anitta fazia mais.

Essas foram as primeiras e mais desastrosas plásticas feitas por ela. Houve, sim, mudança no visual, mas nada muito drástico. Os efeitos negativos foram maiores do que as "melhorias".

Como diz a tal Lei de Murphy, se algo pode dar errado, vai dar. E Anitta descobriu isso da pior maneira. Ela ainda estava se recuperando das cirurgias quando soube que Kamilla havia marcado seu primeiro show com relevância na mídia: o Baile da Favorita. Criado por Carol Sampaio, amiga e sócia informal da empresária, o evento era moda entre os cariocas ricos e descolados, uma tentativa de reunir os riquinhos da Zona Sul numa quadra de escola de samba quente e apertada, no caso a da Rocinha, como se fosse algo prazeroso.

Anitta não tinha condições de andar direito. Muito menos de fazer dois shows na mesma noite, como estava previsto no contrato. O cachê? Mil reais. Ela implorou a Kamilla para remarcar, mas a empresária não cedeu.

E lá foi a pobre da Anitta, cheia de dor, recém-operada, se apresentar. Coitada, mal conseguia se mexer. Para piorar, um dos pontos do seio estourou e o sangue era visível. Show interrompido, atraso no cronograma. Aí, surgem duas versões da história. Uma contada por Kamilla Fialho, outra pela promoter Carol Sampaio.

Segundo Kamilla ouviu de seus sócios e assistentes, Carol tirou sarro de Anitta, fazendo gestos com a mão, imitando seu nariz enorme. Pior: cortou o microfone da cantora antes de o show terminar. Já Carol nega qualquer interrupção do som e diz que Anitta era uma "vítima", cheia de pontos pelo corpo e que não conseguia sequer usar a voz por causa do nariz operado. E, como é uma pessoa boa, Carol diz que ainda foi ao camarim dar conselhos à novata, inclusive para ela se vestir melhor. A única coisa que Carol admite foi ter imitado Anitta dançando "Menina Má": "Até porque ela se contorcia de dor." O resultado desse quiproquó é que Anitta saiu da festa aos prantos.

Detalhe: Kamilla não viu nada disso pessoalmente. Sua versão foi montada em cima de relatos de outras pessoas. Sabe por quê? Ela estava a muitos quilômetros dali, na paradisíaca ilha de Fernando de Noronha, acompanhada de Marcelo Falcão, vocalista do Rappa, que, na época, era namorado de Carol Sampaio. É isso mesmo. Se você não entendeu, apenas releia.

Kamilla e Carol nunca foram sócias de verdade, de papel passado. Estavam mais para parceiras comerciais e, supostamente, amigas. A empresária usava seus contatos no mundo do funk para ajudar a promoter a montar um *line-up* bom, bonito e, especialmente, barato. Assim, o Baile da Favorita sempre tinha artistas de sucesso no palco, mas pagava cachês reduzidos.

A relação, claro, foi para o brejo depois que Carol descobriu que estava sendo duplamente traída, tanto por Kamilla quanto por Falcão. A amizade das duas virou ódio.

Em 2012, não eram apenas seus empresários que estavam mexendo seus pauzinhos para fazer de Anitta uma celebridade. A própria cantora tinha seus métodos e planos. Ela já contava com uma legião de fãs na internet. Basicamente a massa funkeira que a acompanhava desde os tempos da Furacão. Sua rede social preferida naquela época era o Twitter. E o Twitter tinha um rei no Brasil. Bruno Rocha, redator do *Caldeirão do Huck*, mais conhecido como Hugo Gloss. Com milhões de seguidores, tudo o que ele publicava na plataforma repercutia imediatamente. Com um humor inteligente e mordaz, falava sobre o mundo das celebridades e ajudava a moldar a opinião das pessoas a respeito de artistas dos mais variados segmentos. Anitta sabia que tinha que ser amiga dele a qualquer custo.

Certo dia, Gloss foi dar entrevista à FM O Dia, no programa apresentado por Vitor Junior e Vivy Tenório. Simplesmente uma das maiores audiências da rádio. Era uma oportunidade de ouro, e Anitta não podia perder essa chance. Pegou o telefone e ligou para a rádio, como centenas de outros ouvintes fazem todos os dias. O destino ajudou e ela conseguiu entrar ao vivo no programa. Sem medo de pagar mico, conversou com Hugo Gloss e já mandou uma lábia para cima dele:

— Oi, eu sou sua fã, entra no meu Twitter? Eu sou cantora, vou ficar famosa — disse Anitta pelo telefone, ao vivo.

A atitude, mais uma vez, funcionou. No estúdio da rádio, Gloss abriu o perfil da tal Anitta e deu de cara com uma foto da jovem com um batom azul de gosto bastante duvidoso.

— Ih, amiga, o batom não ficou muito bom.

A zoada ao vivo não tirou o humor da cantora. O importante era que, por conta daquela conversa, seu perfil no Twitter estava ficando ainda mais conhecido. Até mesmo o próprio Hugo Gloss passou a segui-la.

Anitta era superdedicada ao Twitter. Naquela época, era onde tudo acontecia em termos de rede social. O Orkut já tinha morrido e o Facebook ainda estava se estabelecendo. Anitta era obcecada. Entendeu rapidamente como surfar aquela onda. Sabia que o importante era conversar, e não apenas ouvir passivamente o que as pessoas estavam falando ali. Tanto que respondia a todos que a marcavam, escrevia compulsivamente sobre tudo o que podia e, claro, divulgava seu trabalho.

O crescimento concomitante de Anitta e da internet no Brasil não foi mera coincidência. De 2013 — ano em que ela estourou nacionalmente — para 2014, o Brasil ganhou dez milhões de novos internautas. A faixa etária que mais usa a internet é justamente a mesma de Anitta: entre 15 e 24 anos. Isso gera uma identificação sem tamanho. Sem a web, ela não seria tão grande. Continuaria sendo um produto local. E olhe lá.

Mas, claro, seu crescimento teve outros fatores importantes. O período de surgimento e estouro de Anitta, por exemplo, coincide com o crescimento econômico da classe C, embalado por programas sociais e de governo. Com mais dinheiro no bolso, houve uma explosão de vendas de um item que mudou a relação das pessoas com o consumo de mídia: os smartphones. Com celulares parcelados no boleto em 18 vezes e chips pré-pagos cada vez mais baratos, as classes populares foram às compras. E isso revolucionou a indústria da comunicação de massa. Ávido por consumir conteúdo com o qual se identificasse, esse novo público foi em busca de um ícone. E encontrou Anitta já nadando de braçada naquele universo digital.

Se a conversa com Hugo Gloss na FM O Dia ajudou Anitta a engordar sua base de fãs, ela precisava de mais um empurrãozinho dele para se consolidar de vez como a revelação da música pop no Brasil em 2012. A oportunidade de ouro surgiu. Para seu aniversário de 27 anos, Gloss queria um show de MC Sapão. E sabe quem administrava a carreira do cantor? Kamilla Fialho. A empresária disse que Sapão cantaria de graça na festa, mas que Anitta também se apresentaria.

O aniversário estava absolutamente lotado de famosos. Desde Luciano Huck, patrão de Gloss, até humoristas do Pânico na TV. Anitta nunca tinha visto tantas celebridades reunidas como naquela noite. Sabia que precisava fazer uma apresentação inesquecível. No camarim, perguntou a Gloss o que deveria cantar. Sempre educado, ele perguntou: "Mas o que você canta mesmo?"

No fim, acabou fazendo um mix de músicas pop de divas como Britney Spears, Beyoncé, Rihanna, entre outras. Foi um sucesso. Na plateia, David Brazil aproveitava o entusiasmo do público para distribuir o CD promocional de Anitta.

O resultado não podia ter sido melhor. Hugo Gloss adorou a apresentação e praticamente adotou Anitta. Passou a falar dela em seu perfil no Twitter, a divulgar tudo o que a cantora fazia e, por fim, a convidou para participar do *Caldeirão do Huck*. Primeiro ela se apresentou cantando, ao lado do já poderoso Thiaguinho. Depois, fez uma participação solo no quadro "Se eu fosse você", em que o famoso mudava de vida com alguém que tivesse o nome igual.

Foi Gloss o primeiro a mostrar a capa do CD de estreia de Anitta em suas poderosas redes sociais. Era um esboço da capa. A atitude abriu uma crise na Warner Music, com quem Anitta havia assinado um longo contrato, pois quebrara toda a estratégia de lançamento. A gravadora queria até mudar a capa do disco por conta disso. Esperta, Anitta não deixou. Qual o problema de ter sido o "rei da internet" o primeiro a mostrar seu trabalho de estreia?

Hugo Gloss também divulgou em primeira mão o clipe de "Show das Poderosas", música que marcou a virada na carreira de Anitta. Inspirado em "Run the World (Girls)", de Beyoncé, foi todo gravado em preto e branco, num único cenário — um palco. Apesar da simplicidade, o vídeo mostra uma cantora já absolutamente dona de seu universo artístico.

Um detalhe curioso: o clipe foi todo bancado pela própria Anitta, de forma independente. Absolutamente ninguém acreditava na música. Só ela, claro. Era tanta certeza de que tinha um hit nas mãos que, quando terminou de compor a canção, saiu correndo para mostrar à mãe e ao irmão, dizendo: "Escrevi a música que vai mudar nossas vidas."

Nenhum dos dois levou fé.

Na K2L, outro balde de água fria. Seus empresários odiaram a música, mas aceitaram levá-la para uma reunião com a gravadora. Pra quê? Na Warner, todo mundo meteu o malho em "Show das Poderosas", dizendo que Anitta não sabia compor, que a música só atingiria adolescentes cariocas do subúrbio fãs de funk. Um horror. Paradoxalmente, todos apostavam em outra música composta pela própria Anitta chamada "Tá na Mira", o que era uma contradição absoluta e deixava a cantora ainda mais furiosa com toda aquela situação.

Convicta de que tinha um hit explosivo nas mãos, Anitta decidiu seguir seu feeling. Tirou dinheiro do próprio bolso, alugou um teatro, criou e ensaiou exaustivamente uma coreografia, contratou bailarinas e uma produtora.

Por obrigação contratual — e depois de ser literalmente obrigada por Kamilla Fialho —, Anitta também gravou o clipe de "Tá na Mira". Mas você já viu esse vídeo? Pois é. Nunca foi lançado. "Show das Poderosas" saiu antes, publicado pela própria Anitta no YouTube, e foi tão avassalador que botou abaixo as pretensões da gravadora, que perdeu uma grana com um clipe nunca exibido. A partir desse episódio, todos que a criticaram naquela reunião tiveram que baixar a bola e admitir que a cantora sabia o que estava fazendo. Sabe aquela história do "aceita que dói menos"? Foi bem assim.

Além da letra e das batidas, que eram tipo chiclete, a coreografia teria um papel importante no clipe e seria toda trabalhada no *stiletto*, o tal estilo de Nova York que, aos poucos, era inserido no Brasil. O problema foi que Arielle, a dançarina que comandava o balé de Anitta havia um ano, não se sentiu segura para criar e desenvolver os movimentos do "Show das Poderosas". Ela indicou um bailarino muito bom, mas que simplesmente surtou durante o processo, tratando os outros dançarinos de forma abusiva, se autoproclamando "Duque" e detonando Anitta pelas costas. Quando finalmente descobriu a baixaria toda, a cantora demitiu o rapaz e enquadrou Arielle: era hora de ela assumir a responsabilidade por aquela coreografia.

Resultado: "Show das Poderosas" explodiu no Brasil inteiro, com todo mundo imitando os movimentos da dança, especialmente nos trechos "prepara", com o braço estendido em linha reta, e "babando", com três leves tapinhas no queixo.

O sucesso foi tanto que Anitta finalmente rompeu a barreira do funk, surgindo como uma cantora pop. No dia 5 de maio de 2013, o clipe foi apresentado no *Fantástico*, levando Anitta a um público completamente diferente daquele que já estava habituado a vê-la.

Curiosamente, assim como em "Menina Má", foi a vontade de se vingar de alguém que levou Anitta a compor "Show das Poderosas". A música tinha endereço certo: Carol Sampaio, a promoter do Baile da Favorita, que havia tripudiado dela no episódio da apresentação pós-cirurgia.

Anitta nunca acreditou na versão da promoter, preferindo ouvir o que seu empresário Rapha Brahma tinha a contar sobre os bastidores daquele fatídico show. Ela criou ódio mortal de Carol Sampaio, e tal sentimento foi alimentado por Kamilla Fialho, que havia se tornado inimiga da criadora do Baile da Favorita.

Anitta queria mandar um recado para a promoter e fez isso de forma brilhante na letra do "Show das Poderosas". Quem conhecia a história das duas sacou na mesma hora que Carol Sampaio era a tal "invejosa" incomodada com a presença da "poderosa" (no caso, a própria Anitta, claro).

Definitivamente, o processo criativo de Anitta melhora quando ela está com raiva.

Quinta-feira, 7 de junho de 2013, Rio de Janeiro.

A maior e mais popular casa de shows da cidade, o Barra Music, recebia pela primeira vez como atração principal a dona do hit do momento, o maior orgulho do subúrbio: Anitta. As participações eram simplesmente de Thiaguinho e Preta Gil, tá bom pra você?

A casa tinha capacidade para oito mil pessoas e ficava no entroncamento de duas vias expressas de enorme importância para as zonas Norte e Oeste do Rio de Janeiro, bem ao lado das comunidades Gardênia Azul e Cidade de Deus.

E o que aconteceu naquela noite ficou registrado como um dos maiores caos no trânsito da história do Rio de Janeiro. Era tanta gente querendo ir para o show que simplesmente parou a cidade. Treze mil pessoas conseguiram entrar no Barra Music e mais de três mil ficaram do lado de fora, no meio da rua, interrompendo o fluxo de carros. O engarrafamento chegou à Zona Sul e ao Centro, a mais de vinte quilômetros de distância. Confusão como essa causada por um show o Rio só tinha visto em 1998, na primeira e única apresentação da banda irlandesa U2 na cidade. O evento também aconteceu na região da Barra e foi responsável por mais de cinco horas de congestionamento nas principais vias cariocas.

Ou seja: Anitta pode dizer que ela e Bono Vox têm algo em comum.

Mas, assim como já havia acontecido na época da Furacão, os problemas empresariais começaram a bater à porta.

Anitta já estava estourada em todo o Brasil, era figurinha fácil nos programas mais populares da TV Globo, dominava as paradas das rádios e tinha os clipes mais bombados do YouTube. Obviamente, tudo isso significava dinheiro. E dinheiro demais sempre atrai complicações.

Renan, seu irmão, que havia sido seu braço-direito e produtor executivo durante os momentos mais difíceis de sua carreira, levou um "chega pra lá" da K2L, onde passou a ser visto como um empecilho. Aquilo magoara Anitta, mas ela tentava seguir adiante por entender que negócios são negócios.

Seus empresários, no entanto, começaram a dar demonstrações cada vez mais claras de que não havia amizade naquela relação. Era puro *business*. Durante uma reunião de trabalho, eles deixaram essa questão absolutamente clara. No meio de uma discussão, Anitta quis opinar e foi rechaçada: "Você não entende nada, garota. A gente que entende. Se for pra você ficar se metendo, você volta para a Furacão agora mesmo", ouviu.

Ali ela entendeu que não tinha poder de decisão e, assim como na Furacão 2000, seria uma marionete nas mãos dos empresários.

Ela chegou a conversar seriamente com o irmão sobre a possibilidade de abandonar a carreira. "Tomei a pior decisão da minha vida. Eu não quero mais isso pra mim. Essa gente não quer o meu bem. Não vão me deixar realizar meus sonhos", disse para Renan, que pedia calma.

Mal sabiam eles que o pior ainda estava por vir.

Em 2013, quando estourou nacionalmente, o cachê de Anitta era de trinta mil reais. Nada muito alto para os padrões do mercado. Afinal, ela só tinha cinco músicas próprias e seu show era um apanhado de sucessos de outras pessoas. Mas, de uma hora para outra, a K2L determinou um reajuste de 400% no valor, passando a cobrar 120 mil por apresentação. Só para se ter uma ideia, Luan Santana era o artista jovem mais bem pago do Brasil naquele momento. Seus shows custavam 300 mil reais. Mas ele já estava estourado desde 2009, com três álbuns lançados e quilômetros de estrada.

Quem costumava contratar Anitta não tinha como arcar com aquele cachê. Ela ainda era vista no mercado como uma iniciante, e a ambição de Kamilla Fialho estava começando a atrapalhar seu crescimento. Boicotes começaram a acontecer. O primeiro foi no Aracaju Fest. Depois, outras portas importantes começaram a se fechar.

Foi um susto e tanto para Anitta, que não entendia o motivo daquilo tudo estar acontecendo. De uma hora para outra, viu sua agenda de shows ficar vazia, apesar de suas músicas continuarem fazendo um sucesso estrondoso na internet. Tinha alguma coisa muito errada.

Foi quando, finalmente, o lado empresarial de Anitta aflorou. Ela, que havia aprendido sobre teoria de administração na escola técnica, percebeu que a prática era muito diferente. Entendeu que, por ingenuidade, tinha tomado decisões erradas e se deixado levar pela boa lábia de gente muito mais esperta do que ela.

Kamilla Fialho, por exemplo.

Anitta descobriu que estava sendo enganada pela empresária. Ela e a torcida do Flamengo.

Segundo a versão da cantora, Kamilla mentiu para todo mundo, inclusive para seus sócios na K2L, no afã de lucrar cada vez mais em cima do sucesso de Anitta. A tática era criar um ambiente de inimizade entre todos, para que ninguém descobrisse a verdade. Durante um tempo, deu certo.

Mas a casa caiu.

Anitta era muito querida por todos na K2L. E foi uma funcionária da empresa que abriu o esquema para ela. Chorando, afirmou que Kamilla estava desviando dinheiro de todo mundo. Foi um choque. Sem saber o que fazer, a artista conversou com seu irmão e se aconselhou com outras pessoas em quem confiava. Chegou a gravar uma conversa escondido para guardar como prova. Nela, Kamilla falava mal de todos.

O problema é que, como se diz no popular, o buraco era muito mais embaixo. Ao longo do tempo em que esteve ligada à K2L, Anitta afirma que recebeu muitos papéis para assinar e que Kamilla nunca era transparente sobre aqueles documentos. Na maior parte das vezes, tratava-se apenas de burocracia. Um deles, no entanto, se tornou a maior dor de cabeça na carreira de Anitta: por meio dele, ela concordou com a criação da Editora K2L, que passaria a ser proprietária legal das músicas escritas por ela até então.

Até hoje a cantora sustenta que nunca soube o teor de tal documento. Mas o fato é que, por ter assinado aquele papel, ela simplesmente abriu mão dos direitos de tudo o que havia produzido até então, incluindo "Meiga e Abusada", "Menina Má" e até mesmo "Show das Poderosas". Isso mesmo: Anitta não tem direito de receber um centavo sequer pelo maior sucesso que criou em sua carreira. Tudo vai para Kamilla Fialho.

Para muitos especialistas do mercado fonográfico, esse foi o maior golpe da história recente da Música Popular Brasileira.

"ANITTA É FRUTO DE MUITO JABÁ."

A frase que dá título a este capítulo foi dita por Kamilla Fialho e registrada no processo que corre na Justiça em que ela e Anitta brigam desde 2014. Soa agressiva e rancorosa, ainda mais vinda de sua ex-empresária e inimiga declarada.

Jabá, no jargão do rádio, é um benefício, normalmente financeiro, pago a DJs e locutores para que eles toquem determinada música. Quanto maior o jabá, mais vezes a canção aparece na programação. E, claro, isso ajuda a construir um sucesso, levantando a carreira de um artista, contribuindo para a venda de discos e ingressos para shows. Ou seja, uma indústria inteira é movimentada por esse tipo de prática que, se não é ilegal, é meio que imoral. Afinal, não é a qualidade da música que a leva adiante, e sim quanto os produtores e as gravadoras têm para subornar os profissionais responsáveis por divulgá-la.

Como não existe recibo de jabá, é praticamente impossível checar a veracidade da afirmação de Kamilla. Mas o fato é que a empresária sabia muito bem o poder do rádio na construção de carreiras de artistas populares como Anitta. E seus planos para fazer a pupila crescer envolveram mais do que suborno a radialistas.

Muito mais...

Arthur Carvalho, mais conhecido como Tuka, é filho de dois grandes empresários do mercado da comunicação do Rio de Janeiro: Walter de

Mattos Júnior, fundador e dono do diário esportivo *Lance!*, e Lígia, a Gigi, dona da rádio FM O Dia.

Seu avô materno, Ary Carvalho, fundou o *Zero Hora*, de Porto Alegre, em 1964, e comprou o jornal *O Dia*, do Rio de Janeiro, em 1983, dando início a uma revolução no conceito de jornalismo popular no Brasil que transformou a publicação em um fenômeno editorial. A partir de 1994 e até pelo menos 1997, *O Dia* alcançou tiragens assombrosas, chegando a vender mais de um milhão de exemplares aos domingos e ameaçando o domínio das Organizações Globo no mercado carioca. Tanto que a empresa da família Marinho se viu obrigada a lançar um jornal popular, o *Extra*, com o único objetivo de combater o sucesso do concorrente.

Em 1996, percebendo que podia expandir o sucesso de seu jornal para outras mídias, Ary Carvalho decidiu lançar uma rádio também voltada para o segmento mais popular. A FM O Dia, sintonizada no 100,5 no dial, rapidamente se tornou referência em programação jovem, com enorme penetração no subúrbio carioca e nas cidades da região metropolitana do Rio.

Se o jornal *O Dia* perdeu força e circulação depois do lançamento do *Extra*, a rádio assumiu o primeiro lugar de audiência e nunca mais largou, apesar dos muitos esforços das Organizações Globo, que, aliás, já até desistiram de disputar esse mercado, fechando a 98 FM (rebatizada de Beat98 nos últimos anos de vida).

Ary Carvalho morreu subitamente em 2003, e Gigi assumiu a presidência do Grupo O Dia até 2010, quando vendeu a editora para empresários portugueses, ficando apenas com a rádio. Uma decisão acertada, já que o mercado de jornais impressos vai de mal a pior, enquanto o de rádio se mantém mais ou menos estável. Ainda mais se tratando de uma emissora tão forte, que tem, em média, quatrocentos mil ouvintes por minuto, algo gigantesco.

No Rio, o mercado da música sabe que, para fazer sucesso com o povo, tem que tocar na FM O Dia.

Assim que assumiu o controle da rádio, em 2010, Gigi tratou logo de convocar o filho para ajudá-la nessa missão. Ele já estava sendo preparado para gerenciar os negócios da família e, aos vinte anos, tornou-se vice-presidente da FM O Dia e, consequentemente, um dos empresários mais poderosos do mercado de comunicação do Rio.

E Kamilla Fialho entendia muito bem o tamanho — e o valor — desse poder.

Anitta ainda era Larissa quando descobriu a FM O Dia, no início dos anos 2000. Com uma programação baseada no binômio funk-pagode, era a rádio preferida dos adolescentes de Honório Gurgel, bem como de todo o subúrbio carioca. Fez parte da formação musical dela — e também de seus sonhos. Desde que começou a pensar na possibilidade de virar cantora, Larissa imaginava um dia sintonizar na 100,5 e escutar uma música sua.

Na época em que foi contratada da Furacão 2000, o sonho virou realidade. A equipe comprava um horário no meio da tarde para tocar as músicas de seus artistas. E, apesar do boicote promovido por Rômulo Costa, Anitta pôde finalmente ouvir a própria voz na sua rádio favorita. O sucesso foi tanto que passou a aparecer em outros horários também.

E a relação cresceu.

Anitta passou a cantar em inúmeros eventos da rádio, sem cobrar um centavo sequer. O primeiro foi o Pagodão da Alegria, na quadra do Salgueiro, um lugar pavoroso para se apresentar. Seu maior sucesso na época era "Fica Só Olhando". E, apesar de todas as adversidades, ela até que fez um bom show. Lógico, sempre muito malvestida. Na noite em questão, usava um short com pence de gosto bastante duvidoso.

A FM O Dia, com o tempo, acabou se tornando a segunda casa de Anitta. Ela vivia lá, tinha o telefone de quase todos os locutores. Sabia que estourar na 100,5 seria fundamental para ultrapassar a fronteira do Rio de Janeiro. Mesmo sendo uma rádio local, a FM O Dia dita tendência no país inteiro. Produtores musicais de programas de TV usam a estação como referência de sucesso. Se toca lá, o povo conhece. Se o povo conhece, dá audiência.

Mas uma carreira não se faz só de música. Oferecer jabá para os radialistas era corriqueiro — e até esperado. Mas Kamilla Fialho foi além disso. Decidiu que tentaria uma jogada ainda maior, envolvendo a vida pessoal de Anitta. Além de empresária, iria atacar de... cupido!

E, claro, ela sabia muito bem a quem apresentar a pupila.

Se "molhar a mão" de radialistas ou locutores era importante para fazer uma música estourar, imagina só o que poderia acontecer se o próprio dono da rádio se tornasse um entusiasmado divulgador de uma artista.

O plano era ainda mais maquiavélico.

Nascido em berço de ouro, Tuka "qualificaria" aquela artista suburbana. O rapaz havia estudado em Londres, e a riqueza de sua família vinha de três gerações — ele não era um novo-rico da Barra. Para ele, Aspen, a rica cidadezinha norte-americana famosa por suas estações de esqui, era como Iguaba para a Anitta de 2013. E o melhor: por ser dono de uma rádio voltada às classes mais populares, Tuka era bem mais desprovido de preconceito do que o restante da burguesia carioca.

Para dar certo, o plano não podia ser uma completa forçação de barra. Kamilla jurava que queria apenas atuar como cupido — e não parecer uma cafetina. Mas, por via das dúvidas, não compartilhou suas intenções com Anitta, para evitar que a cantora se recusasse a fazer parte de tamanha armação.

Para levar seu projeto adiante, foi à luta e jogou verde para um monte de gente. Colheu maduro rapidinho. Ficou sabendo que Tuka iria a um show do Rappa na Fundição Progresso. O empresário sempre fora muito amigo de Falcão, o vocalista da banda. Kamilla, como já foi dito, tinha uma relação bastante íntima com o cantor. Daí para colocar Tuka e Anitta frente a frente no camarim da casa de shows foi um pulo.

Apesar de a cantora fazer da FM O Dia sua segunda casa, ainda não tinha sido apresentada ao vice-presidente da emissora. A diferença de idade entre eles é de apenas dois anos, e, apesar da distância social que os separava, houve uma identificação imediata. Mas só isso.

Começou aí um intenso "trabalho" de Kamilla para convencer Tuka a pegar Anitta. O primeiro passo foi dar o telefone da artista para o empresário e insistir para ele mandar uma mensagem.

A partir daí, todos garantem que já não houve mais qualquer intervenção de Kamilla. A relação entre Tuka e Anitta se deu de forma natural. Primeiro, ele se encantou com a inteligência da cantora. Anitta não era aquela menina burrinha que ele imaginava. Pelo contrário. Em seguida, o que chamou a atenção dele foi a simplicidade da artista. Ele pôde conhecer Larissa por trás de Anitta. O herdeiro do império de comunicação tinha acabado de sair de uma longa relação com uma patricinha, e aquela garota estava totalmente fora dos padrões de seu universo. Ela era suburbana legítima, nascida e criada em Honório Gurgel. Ele era o rapaz bem-nascido e criado dentro da elite financeira e intelectual carioca.

Agora, como muitos homens, ele também queria comer uma gostosa.

Aos 21 anos, Tuka já tinha sua própria casa, mas, como ela estava em obras, acabou marcando um encontro na mansão da mãe dele, em um condomínio no Itanhangá. Lá moravam celebridades como Susana Vieira e Letícia Spiller. Anitta nunca havia pisado em um local tão chique na vida.

Foi onde rolou o primeiro beijo.

E, apesar de ter sacado a jogada de Kamilla, Tuka percebeu também que Anitta não fazia parte daquela armação. A relação deles era legítima, e ela nunca se aproveitaria disso para conquistar algo na carreira. Tanto é que ficou acordado entre eles que a vida profissional de ambos jamais seria debatida pelo casal.

Ali começava uma história de amor curta e intensa, em que o mulherengo Arthur Carvalho, um dos jovens mais cobiçados do Rio de Janeiro, ficaria com os quatro pneus arriados pela cantora sensação do momento, o símbolo sexual que todos desejavam. Mas olha que louco: sexo era o que menos acontecia entre eles. Eles transaram pouquíssimas vezes. Tuka queria muito. Mas havia um sério problema: Anitta continuava muito complexada depois daquelas primeiras cirurgias plásticas e não conseguia nem tirar a roupa, que dirá transar. Na visão dela, seus seios estavam destruídos. Pareciam gangrenados. Uma coisa horrorosa. Resumindo: ela tinha vergonha de ficar nua na frente do namorado.

Fora da cama, no entanto, eles se entendiam como poucos. Anitta foi a primeira mulher que Tuka não traiu. E olha que não faltaram oportunidades. Afinal, ele era um ótimo partido e vivia sendo assediado pelas mulheres mais gatas da noite carioca. Contra todas as suas convicções, a cantora chegou a propor uma relação aberta, mas o namorado não topou. No fundo, no fundo, ele é do tipo bem conservador, quase machista.

Mas ele também soube apoiar Anitta em momentos muito delicados. Logo após gravar o único DVD de sua carreira, ela decidiu que era hora de resolver de uma vez por todas os problemas causados pelas primeiras cirurgias plásticas.

Procedimentos estéticos são absolutamente comuns no mundo artístico. Claudia Raia mudou o nariz, que era tipo o da Anitta, aos 23 anos, e se tornou um símbolo sexual do país. Xuxa, então, nem se fala. Mudou o nariz, as maçãs do rosto, os dentes, os seios...

Mas Anitta radicalizou. Mudou o corpo todo de uma vez só. Tudo foi pensado com bastante antecedência, uns quatro meses. E todos foram avisados, embora Kamilla jure que a cantora mentiu dizendo que seria apenas uma "leve correção" no nariz.

Foi a madrinha de Anitta quem organizou tudo. Tia Lurdinha, que é casada com um tio paterno da cantora, trabalhara por mais de vinte anos para a dra. Ana Helena Patrus, dona da Clínica Santé, em São Paulo, famosa entre as celebridades brasileiras que querem mudar a aparência. O local mais parece um hotel cinco estrelas.

A proximidade profissional e afetiva entre dra. Ana e tia Lurdinha fez com que as cirurgias tivessem um belo desconto. Mais uma vez, o dinheiro saiu do próprio bolso de Anitta, que pagou sessenta mil reais por todos os procedimentos.

Pelas competentes mãos da dra. Ana, Anitta se reconstruiu inteira. Mexeu no nariz (ficou a cara da Wanessa Camargo), tirou culote, reduziu os seios, fez lipo na barriga e, para finalizar, remodelou até o queixo. Quando terminou, eram tantos hematomas e curativos que ela parecia ter sido atropelada por um trator. Durante dez dias, permaneceu internada. Afinal, mal conseguia se mexer. Tuka foi fundamental nesse período. Era ele quem dava banho nela, a carregava da maca ao banheiro e esteve ao seu lado 24 horas por dia.

Ele estava no quarto quando Kamilla Fialho chegou e deu um chilique ao ver Anitta toda roxa. Agressiva, falou tantas barbaridades que a cantora chegou a se arrepender de ter feito as cirurgias. Para a empresária, aquele tempo todo de molho significava prejuízo. E de fato era.

Passados alguns dias, já de pé, Anitta pôde finalmente se olhar no espelho de corpo inteiro. Raphael Brahma estava com ela e viu a expressão de felicidade estampada no rosto da artista: "Viado, olha isso, meu corpo tá incrível."

E estava mesmo, estilo violão. Seu rosto, então, nem se fala. Lindo, mas irreconhecível.

O chilique de Kamilla passou a fazer um pouco mais de sentido. Anitta havia acabado de gravar um DVD com o rosto e o corpo antigos. Na época, ela só usava shorts de cintura alta, para esconder a barriga. Aquela mudança tão radical de visual praticamente matava a campanha de divulgação do DVD. O risco de prejuízo era enorme. Mas a música falou mais alto, e o trabalho fez muito sucesso em todo o Brasil. Detalhe: na foto da capa, Anitta aparece de longe, meio na penumbra. Especulou-se que era uma estratégia da Warner para não mostrar uma imagem da cantora que já não correspondia à realidade. Mas não foi nada disso. Anitta simplesmente se achou feia em todas as fotos, tiradas antes das plásticas, e decidiu fazer uma capa conceitual.

Outra curiosidade: foi na gravação do DVD que Anitta falou pela primeira vez a frase que se tornaria a sua marca registrada: "Vocês achavam que eu não iria rebolar minha bunda hoje?" Óbvio, contra a vontade de Kamilla. A empresária não queria mais que o funk pesado fizesse parte do show. Para ela, a artista só cresceria realmente se migrasse de vez para o pop. Tanto que, no *line-up* da apresentação, já havia mais músicas nesse estilo do que o bom e velho pancadão. Mas Anitta é funkeira, cria dos bailes da Furacão, e, acima de tudo, conhecia muito bem o seu público. Assim, o "Movimento da Sanfoninha" foi incluído na *set list*. Produzido por ela e pelo DJ Pimpa, seu antigo parceiro de Honório Gurgel, e com a voz da priminha Manoela dizendo "eu quero ver você dançar", o hit acabou se tornando o ápice do show, obrigatório em todos os seus espetáculos.

Agora, voltando aos problemas causados pelas plásticas radicais... Poucos dias após a operação, iria ao ar a premiação Melhores do Ano, do Faustão. E Anitta tinha sido indicada. Ela ainda estava se recuperando das cirurgias, com partes do corpo inchadas e cheia de curativos. Seria uma temeridade deixá-la aparecer daquele jeito na TV, ainda mais em um programa de grande audiência. Mas quem vive no mundo do entretenimento sabe muito bem que Faustão não aceita um "não". Quem deixa de ir ao seu programa, seja lá por qual motivo, entra numa geladeira difícil de sair. E Kamilla não queria correr esse risco. Ela chegou a dizer que uma desfeita dessas marcaria o fim da carreira de Anitta.

Aliás, por conta dessa apresentação no Faustão, a empresária tinha dado uma bola nas costas de Anitta. Quando recebeu a confirmação da data do programa, antes de a artista se submeter aos procedimentos estéticos, conseguiu o telefone pessoal da dra. Ana e simplesmente cancelou as cirurgias. Isso mesmo. Quando descobriu essa rasteira, a cantora quebrou o pau com Kamilla e conseguiu remarcar as plásticas. O episódio foi ainda motivo da maior briga de Anitta com seu irmão, Renan. Quem passou o celular da médica para Kamilla foi ele, que acabou sendo acusado pela cantora de não ser leal a ela.

Enfim, o fato é que, no dia do Melhores do Ano, Anitta estava daquele jeito...

Houve, então, uma operação de guerra para levá-la ao programa. Primeiro, o figurino. Nada de roupa apertada ou que deixasse o corpo à mostra. Depois, a maquiagem, que precisava ser pesadíssima no rosto para uniformizar o tom da pele. O drama maior era o nariz, que ainda estava com curativo. O jeito seria maquiar a tala também.

Anitta foi para o estúdio da Globo de helicóptero, o que acabou sendo um erro. A pressão atmosférica a fez urrar de dor. Quando chegou na emissora, levou um susto. Havia uma cadeira de rodas aguardando por ela. Tudo porque Kamilla havia feito um dramalhão, dizendo que a artista estava na UTI após as cirurgias. Um caô completo.

No domingo, 16 de março de 2014, ao vivo no programa de maior audiência da TV brasileira naquele dia, Anitta mostrava o resultado de sua transformação radical. O país ficou em choque. A plateia estava muda. Mal reconhecia a cantora. A internet parou. Ela virou o assunto do momento. Nem ela conseguia se concentrar de tanto que olhava para os televisores para se analisar. Por baixo da roupa, uma cinta enorme. Para Faustão, explicou o que havia acontecido: "Mexi em tudo! Por isso estou tampada assim. Precisei diminuir o peito por causa da coluna. Eu já tinha feito essa cirurgia, mas o peito cresceu. E o nariz era torto e feio! Agora eu fiquei com nariz de gente metida."

Mesmo toda dura, ainda cantou e fez parte da coreografia do "Show das Poderosas".

No Brasil, não se falava em outra coisa a não ser nas cirurgias plásticas de Anitta. Ela virou piada nacional. Foi comparada até a Michael Jackson. Na K2L, a ordem foi tirá-la de cena, até porque seu DVD nem havia sido lançado. As entrevistas foram todas canceladas. E Anitta sumiu do mapa durante três semanas.

Só voltou a aparecer no dia 5 de abril, no Rio Verão Festival, promovido pela Record TV. Seria melhor não ter ido. Kamilla Fialho proibiu toda a imprensa de gravar com Anitta. Rapha Brahma também entrou na onda de barrar os jornalistas. E, quando contestado por aqueles que haviam combinado entrevistas com a cantora, o empresário respondeu aos berros: "Ela pode combinar qualquer coisa com qualquer pessoa. Só que quem manda nela sou eu. Até pra fazer cocô ela tem que pedir permissão pra mim. Entendeu? Ela não faz nada sem minha permissão, e eu estou dizendo que ela não dará essa entrevista."

Tuka, que entende muito bem como funciona o mundo da comunicação, tentou de tudo para reverter a situação, mas não conseguiu. Anitta não falou com ninguém.

A relação de Tuka e Anitta era baseada em muita DR, pouquíssimo sexo e muita, mas muita desconfiança da parte dela. A essa altura, a artista já havia criado uma rede de informantes composta, em sua maioria, por mulheres desocupadas da Barra, que saem praticamente todas as noites. As chances de elas darem de cara com o herdeiro da FM O Dia eram enormes. E não é que, logo depois desse festival da Record, Tuka caiu na esbórnia? As informantes bateram todo o esquema para Anitta. Depois da boate na Barra haveria um *after* na casa dele. Desconfiada de que aquilo poderia virar uma baixaria, a cantora mandou sua figurinista ir para a tal festa e espionar Tuka.

Definitivamente, aquele namoro não estava indo bem. O plano de Kamilla não tinha dado certo. Tuka não transformou Anitta na primeira-dama da FM O Dia, não a levou para a alta sociedade carioca e não estava garantindo vantagens profissionais à cantora. Era apenas e tão somente um jovem de 23 anos namorando uma garota de vinte, com os altos e baixos comuns a qualquer relação.

Para piorar a situação de Kamilla, ela não havia calculado direito as consequências de tentar enfiar a qualquer custo Anitta na vida de Tuka. Por exemplo: o melhor amigo dele era simplesmente Gerson Faria, o Gersinho, o tal investidor que colocou 263 mil reais na carreira de Anitta logo que ela assinou com a K2L, lembra? O contato entre os dois foi fundamental para a descoberta do golpe que a empresária estava aplicando em todo mundo.

Anitta não tinha a real dimensão do dano, mas já havia percebido que Kamilla não era flor que se cheirasse. Estava desconfiada de que vinha sendo passada para trás. Tanto que, quando decidiu fazer uma viagem para a Disney, onde iria comemorar seu aniversário de 21 anos, deixou a empresária de fora da lista de convidados.

O passeio aconteceu durante o período em que ela estava se recuperando das cirurgias plásticas, exatamente entre as aparições no

Faustão e no Rio Festival Verão. Isso era ótimo, porque tirava a cantora da mídia brasileira. Ficavam as fotos publicadas por ela e seus amigos nas redes sociais.

Desde o início já estava decidido que a comemoração dos 21 anos não seria uma viagem romântica com Tuka. O namoro estava péssimo, eles quase não transavam e viviam discutindo. Assim, os dois levaram um bando de amigos para Orlando. Entre eles, estava Gersinho. Sim, aquele mesmo.

Dias antes do embarque, o investidor e a cantora tiveram uma conversa importantíssima. Influenciada por Kamilla, Anitta achava que ele era um mau-caráter e que estava passando sua equipe para trás. Quando Tuka soube dessa história, ficou possesso. Sabia que não era verdade. E marcou uma reunião entre sua namorada e seu melhor amigo. Ali os dois descobriram que estavam sendo feitos de patetas por Kamilla.

Já na Disney, depois de conhecerem o Pateta de verdade, chegou a hora de festejar os 21 anos de Anitta. No dia 29 de março, a trupe toda foi jantar em um restaurante que Tuka escolheu — e a cantora odiou. A ideia era brindar exatamente à meia-noite, na virada para o dia 30, data oficial do aniversário.

Na hora marcada, a equipe do restaurante chegou com um bolo, velinhas, *happy birthday* e uma surpresinha nada agradável.

Kamilla Fialho.

Pois é. A empresária estava desesperada com o contato entre Anitta e Gersinho. Sabia que sairia queimada daquela aproximação, afinal estava contando histórias diferentes para cada um, e agora eles poderiam descobrir a verdade.

Anitta já estava com ranço de Kamilla no nível máximo, e vê-la ali, num momento que deveria ser de comemoração, foi um choque, um balde de água fria. Sem dúvida, aquele era o pior aniversário de sua vida.

Mas as coisas ainda iriam piorar. Anitta ligou lé com cré e descobriu que Tuka estava sabendo daquela palhaçada toda. Ele havia insistido com ela para ir ao tal restaurante porque já havia combinado tudo com Kamilla.

O fio tênue que sustentava o namoro se rompeu.

Coincidentemente, a pessoa que uniu os dois foi a mesma que acabou por determinar a separação. Anitta se sentiu traída por Tuka, que sabia de todos os problemas que ela estava vivendo com a empresária.

No avião, voltando para o Brasil depois daquelas férias frustradas, Anitta pôs um fim ao namoro com Tuka.

A relação com Kamilla também chegaria ao fim cinco meses depois, com a descoberta de que a empresária tinha tomado os direitos de todas as músicas de Anitta até aquele momento.

Outra pessoa talvez tivesse quebrado ou desistido. Mas Anitta tem uma força fora do comum. Não seria a primeira nem a última vez que iria se reinventar.

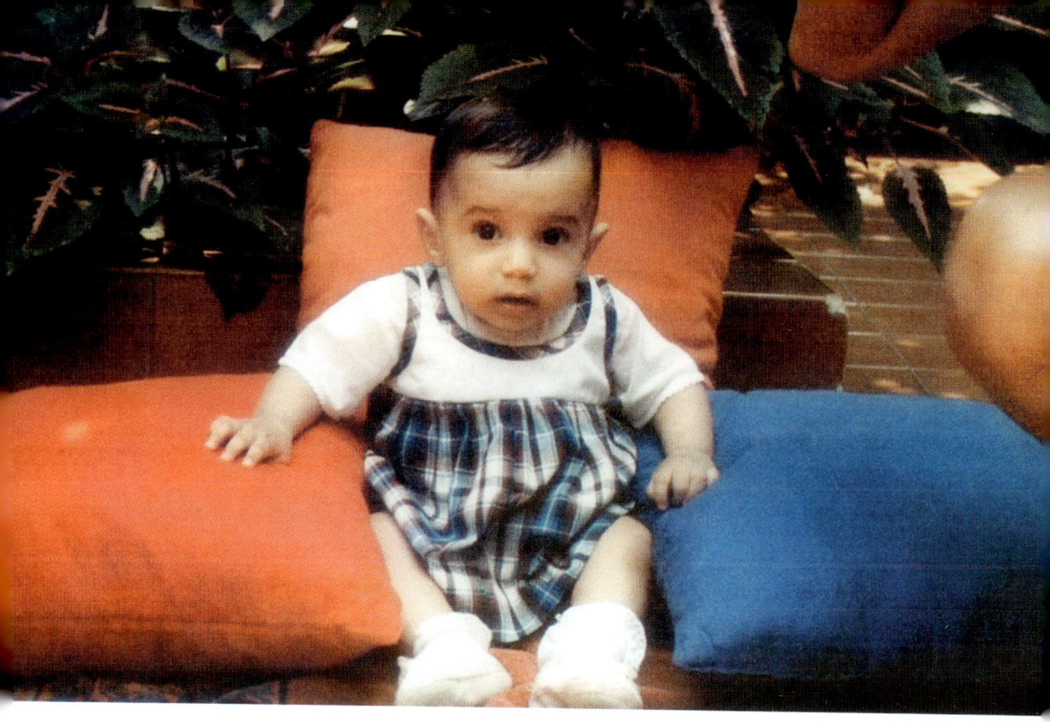

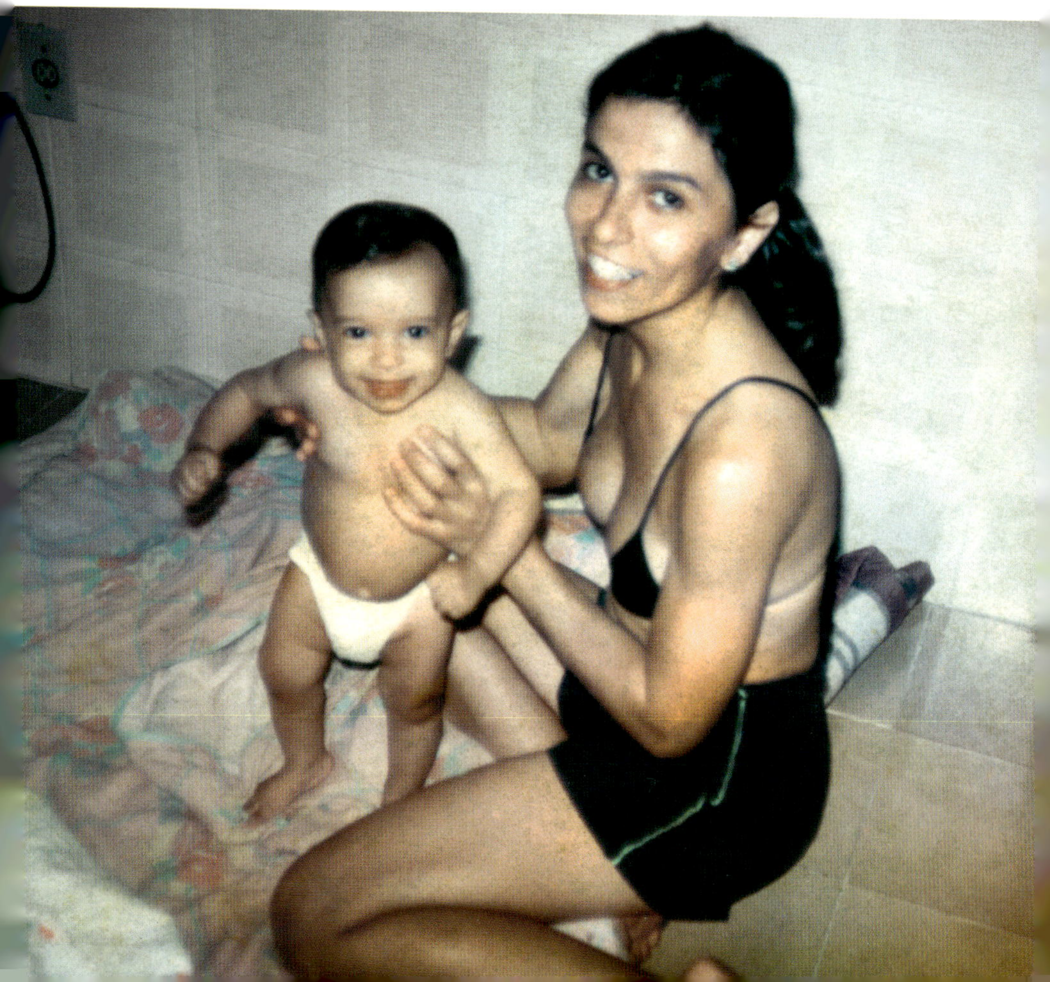

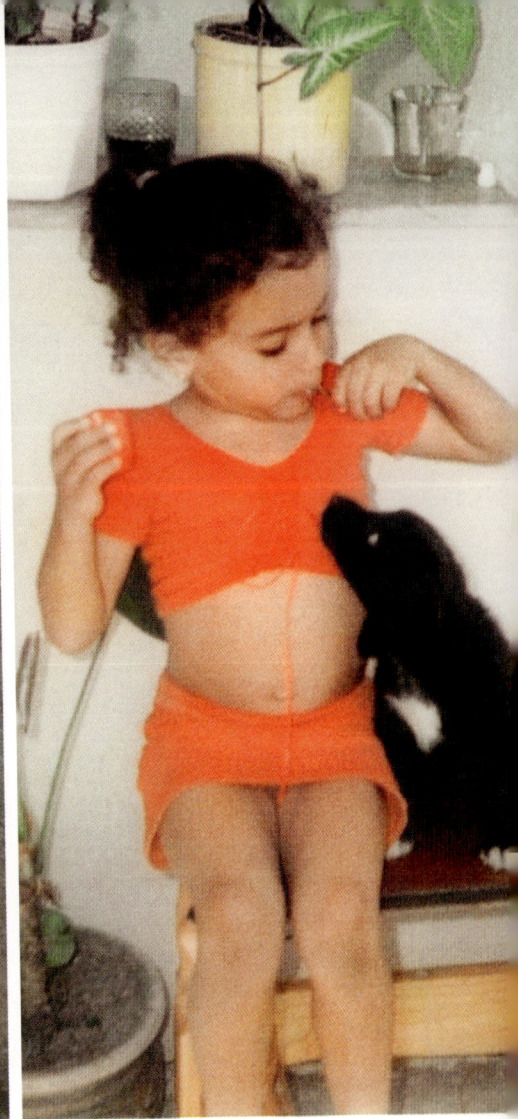

Larissa desde cedo se mostrou uma criança ágil e precoce. Nesses primeiros registros, vemos alguns momentos da sua infância em Honório Gurgel, sozinha ou com a mãe, e na creche Planeta Doce, uma casa na vizinhança em que cuidadoras, como Amarilys (de vestido branco), tomavam conta dos pequenos.

Nas páginas seguintes, dois cliques de uma sessão de fotos em estúdio. O curioso aí é que foi a própria Larissa quem pediu para fazer as fotos. Miriam precisou economizar uns meses para atender ao pedido da filha.

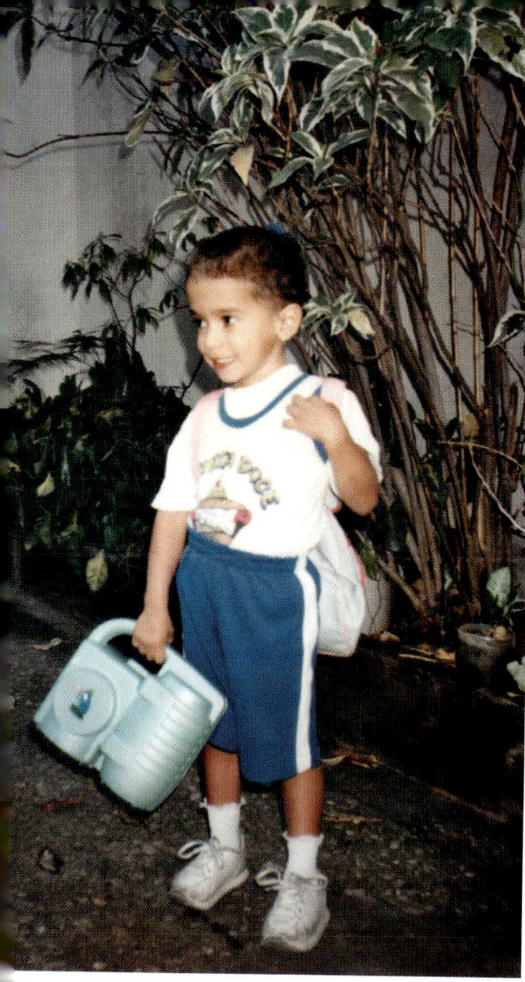
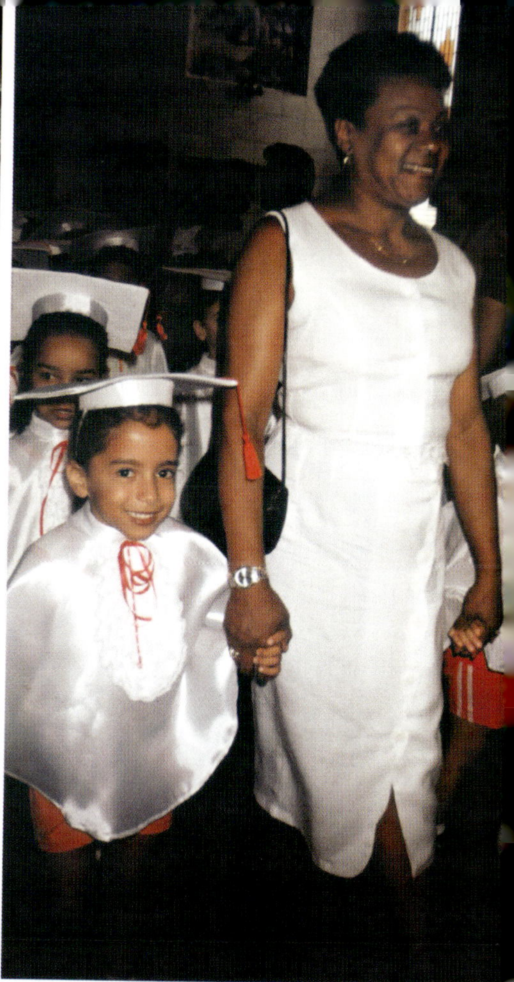
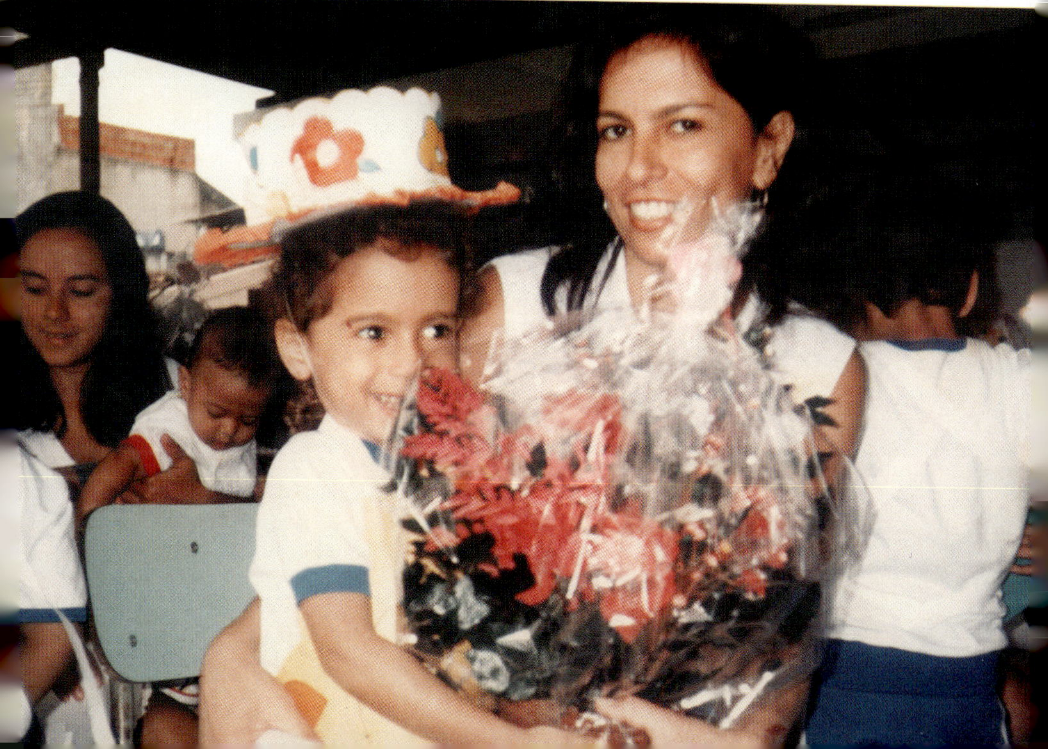

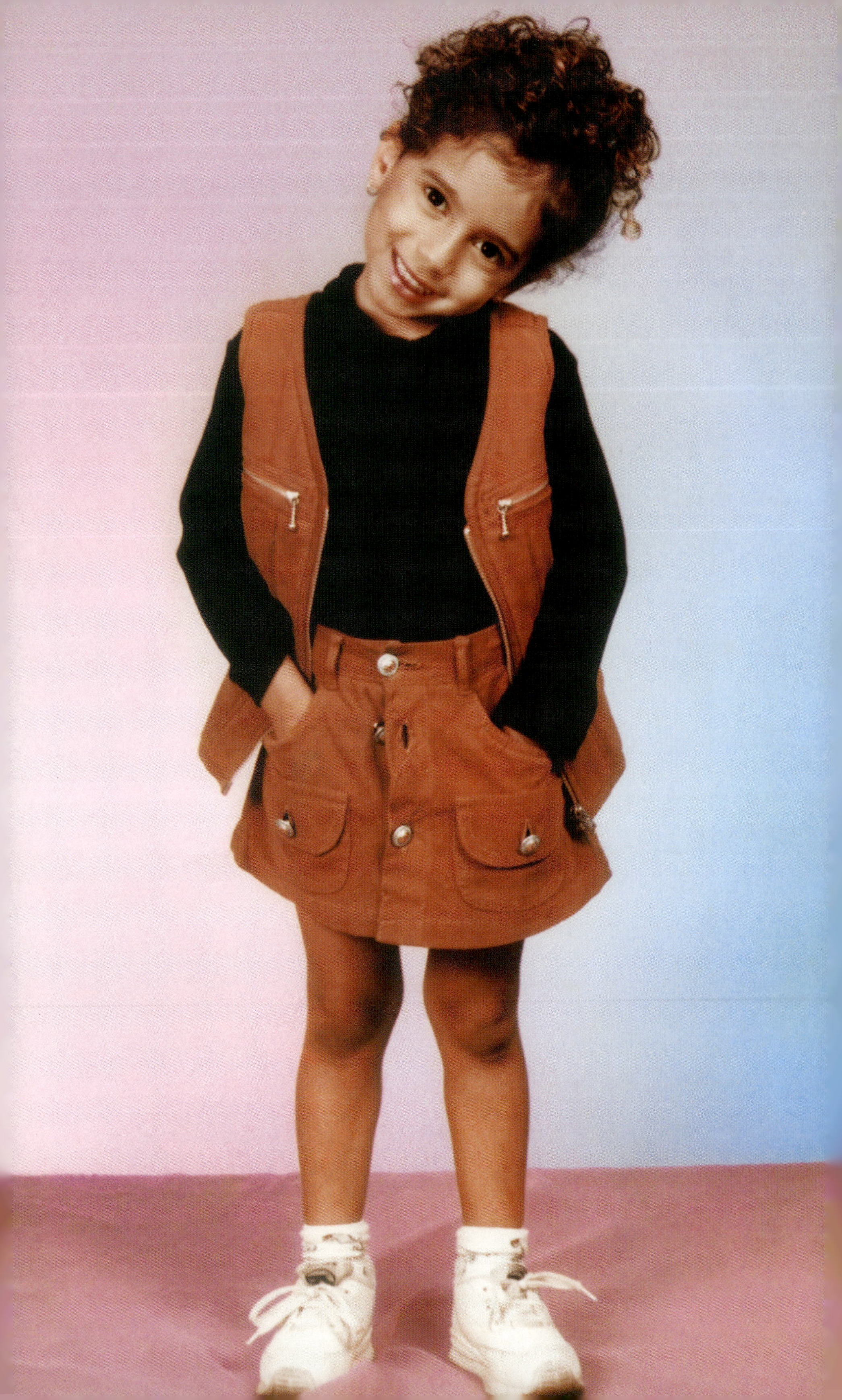

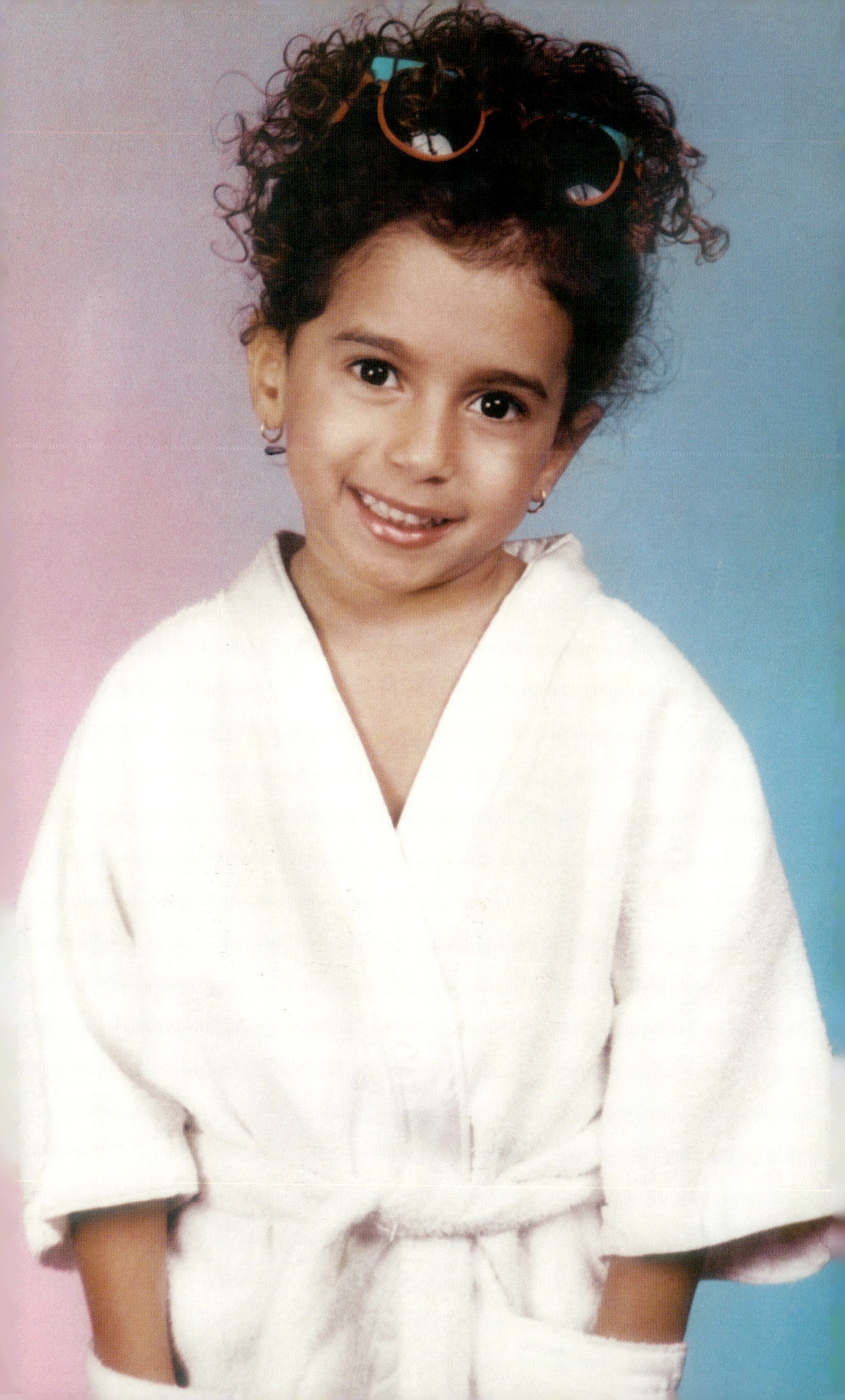

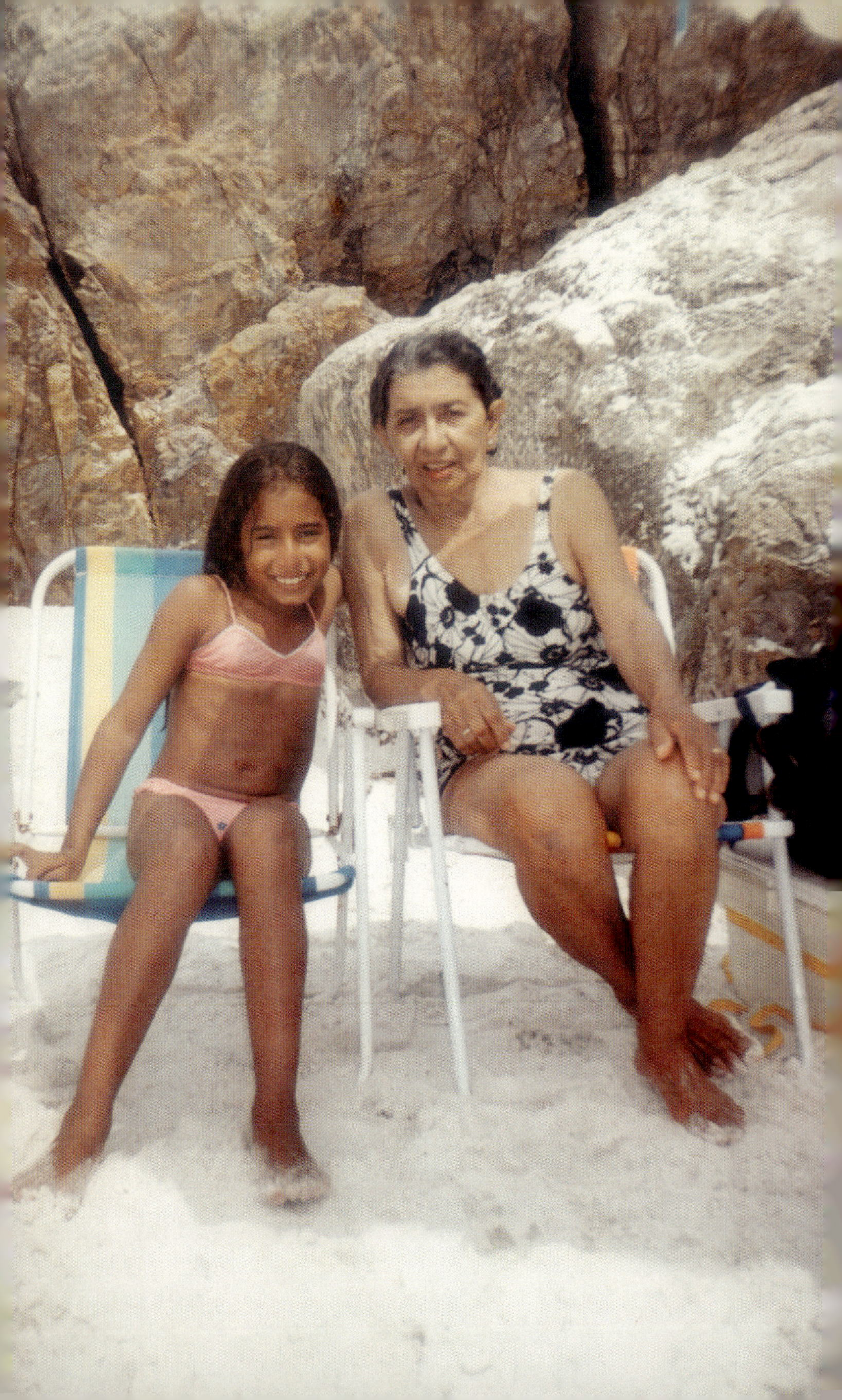

Na região dos Lagos com a avó Gloriete e outros familiares (da esquerda para a direita: o irmão Renan, os tios Cristian, Márcia, Simone e a mãe Miriam).

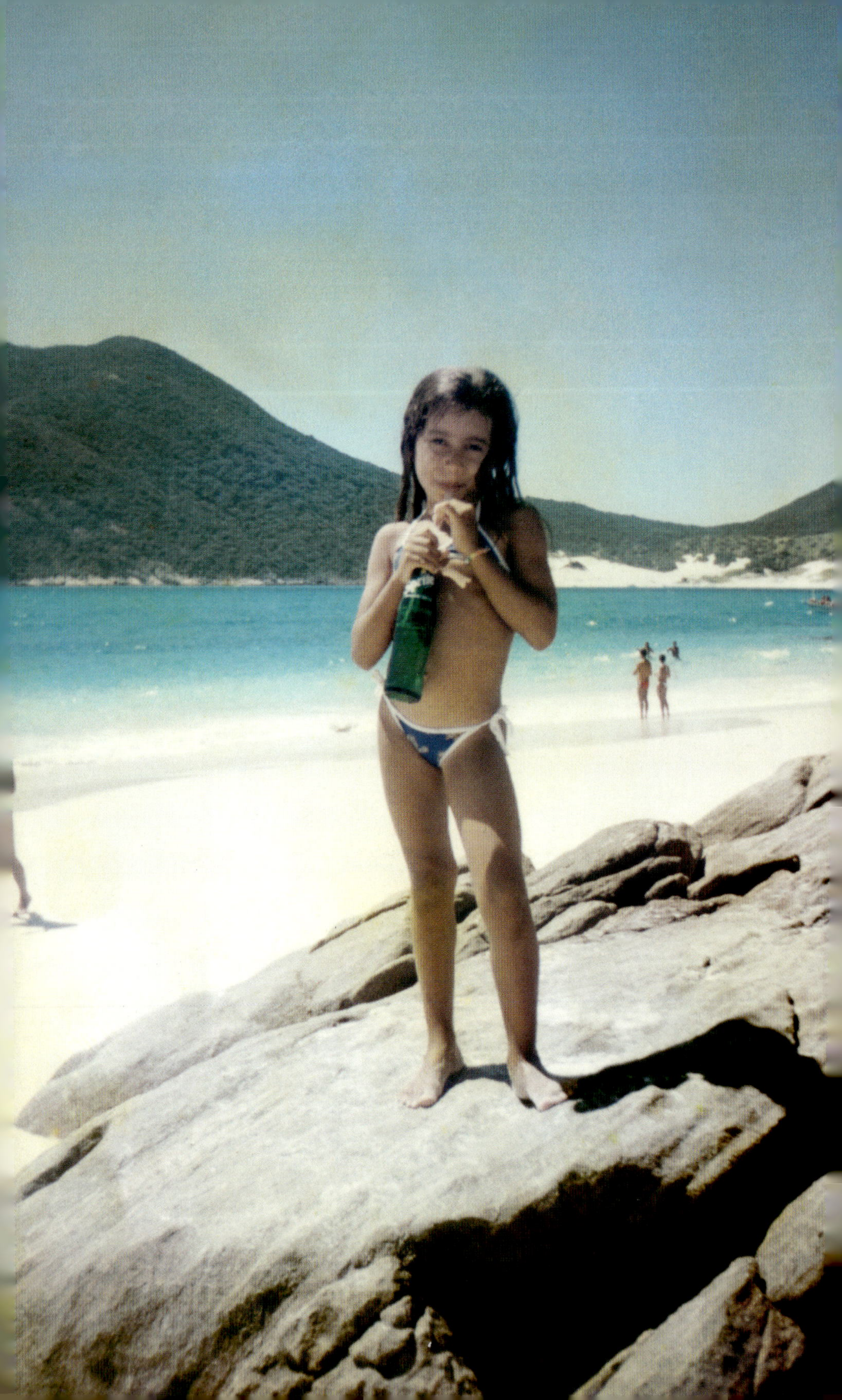

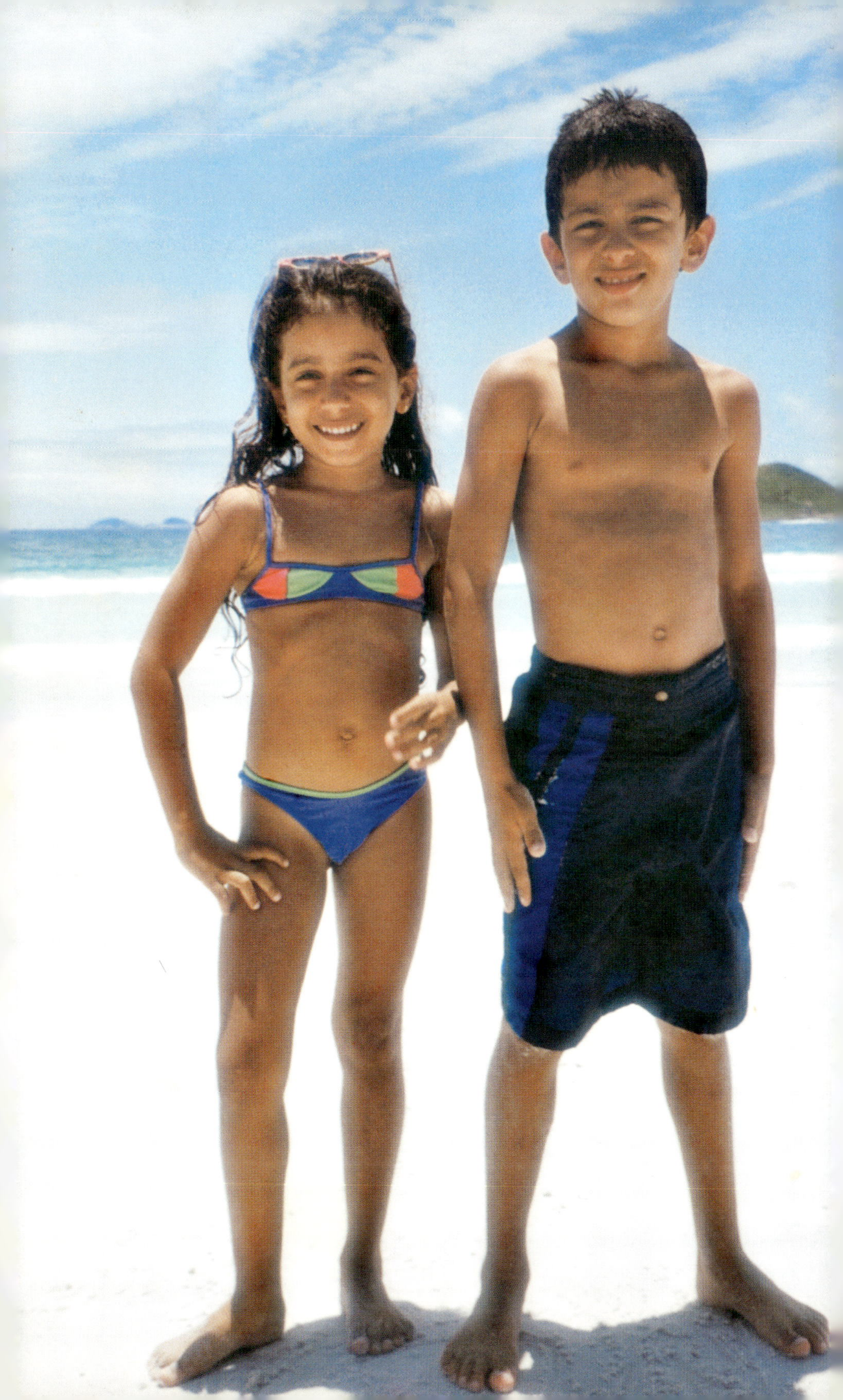

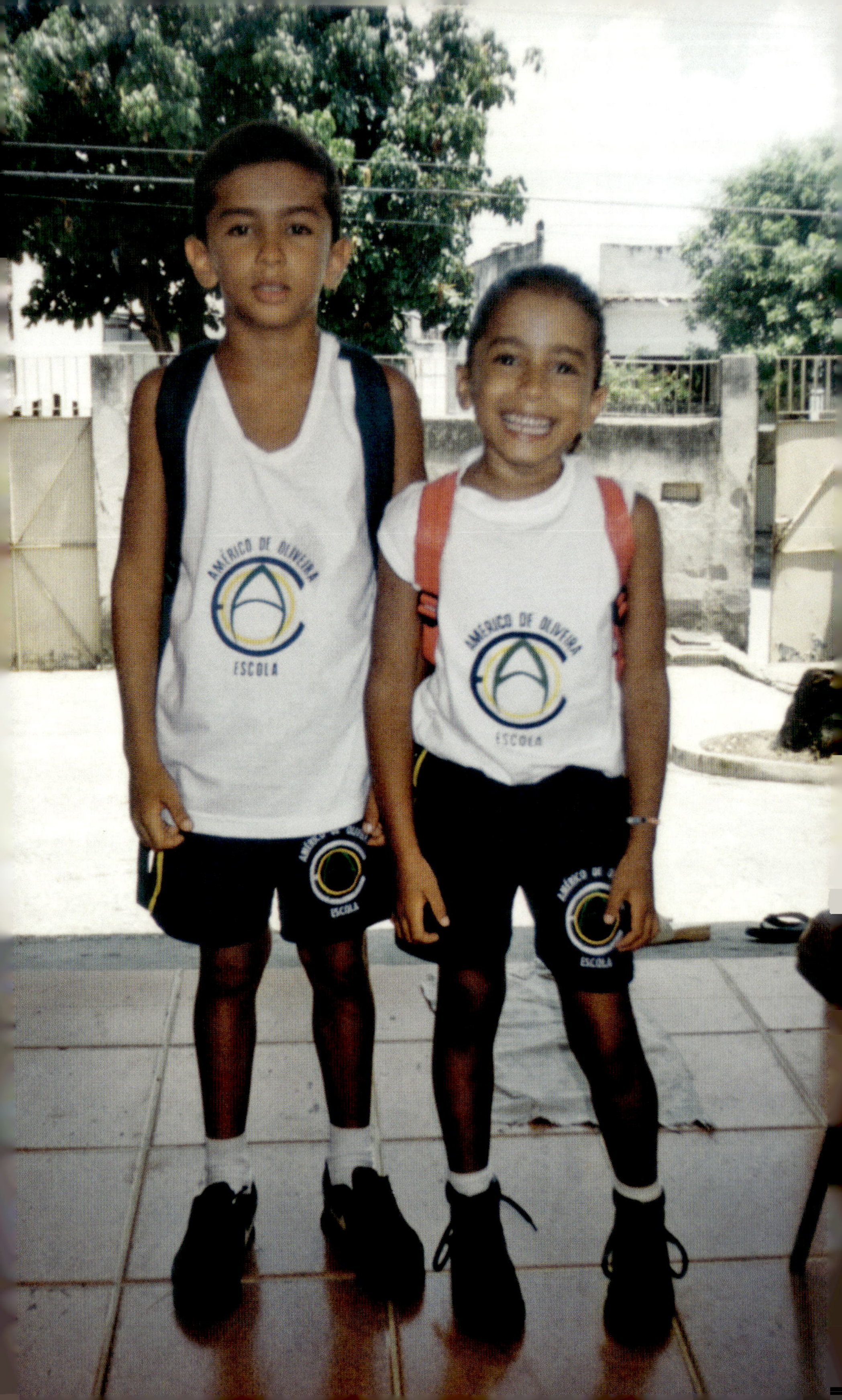
AMÉRICO DE OLIVEIRA
ESCOLA
AMÉRICO DE OLIVEIRA
ESCOLA

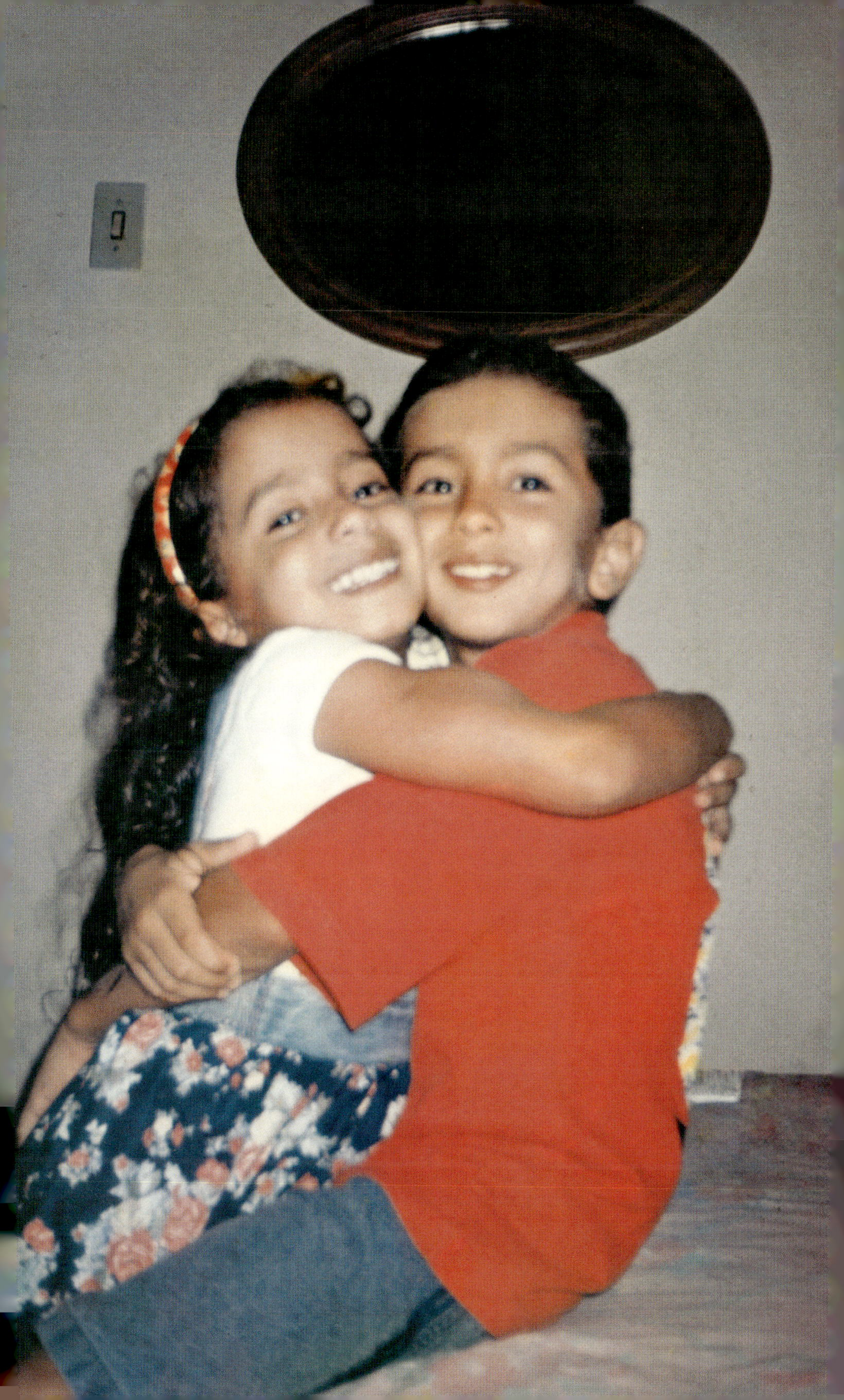

O irmão Renan, hoje seu braço direito, sempre esteve ao seu lado, na praia, no colégio ou em casa. Acima, na comemoração do aniversário de 6 anos. Ao lado, no alto, com a avó e o irmão; abaixo, com a tia Marília, a mãe, a avó, a tia Marcinha e o primo João.

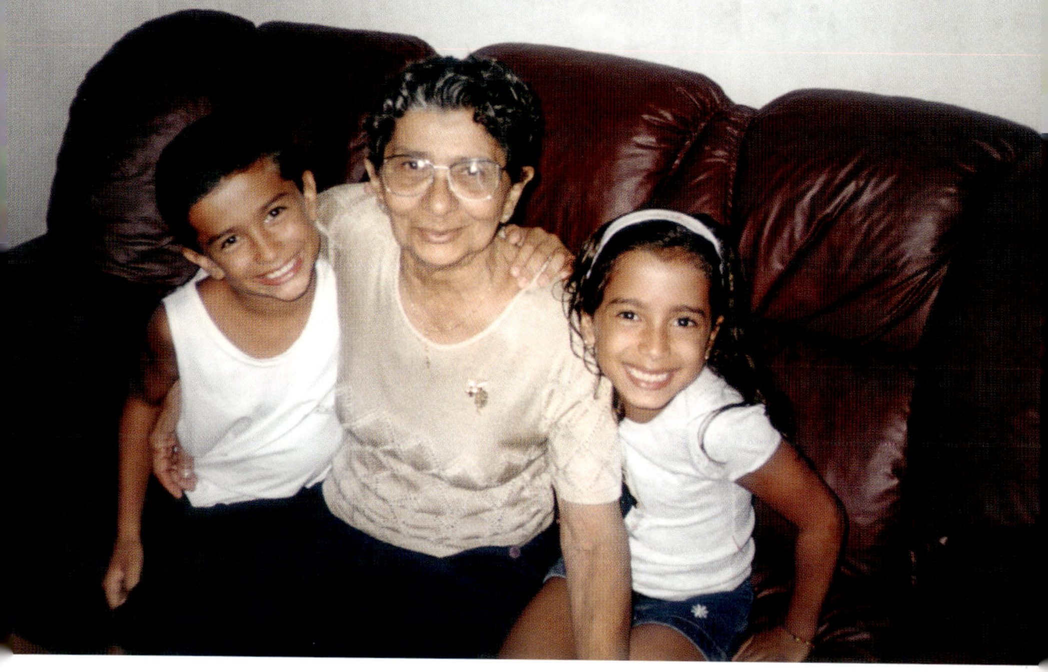

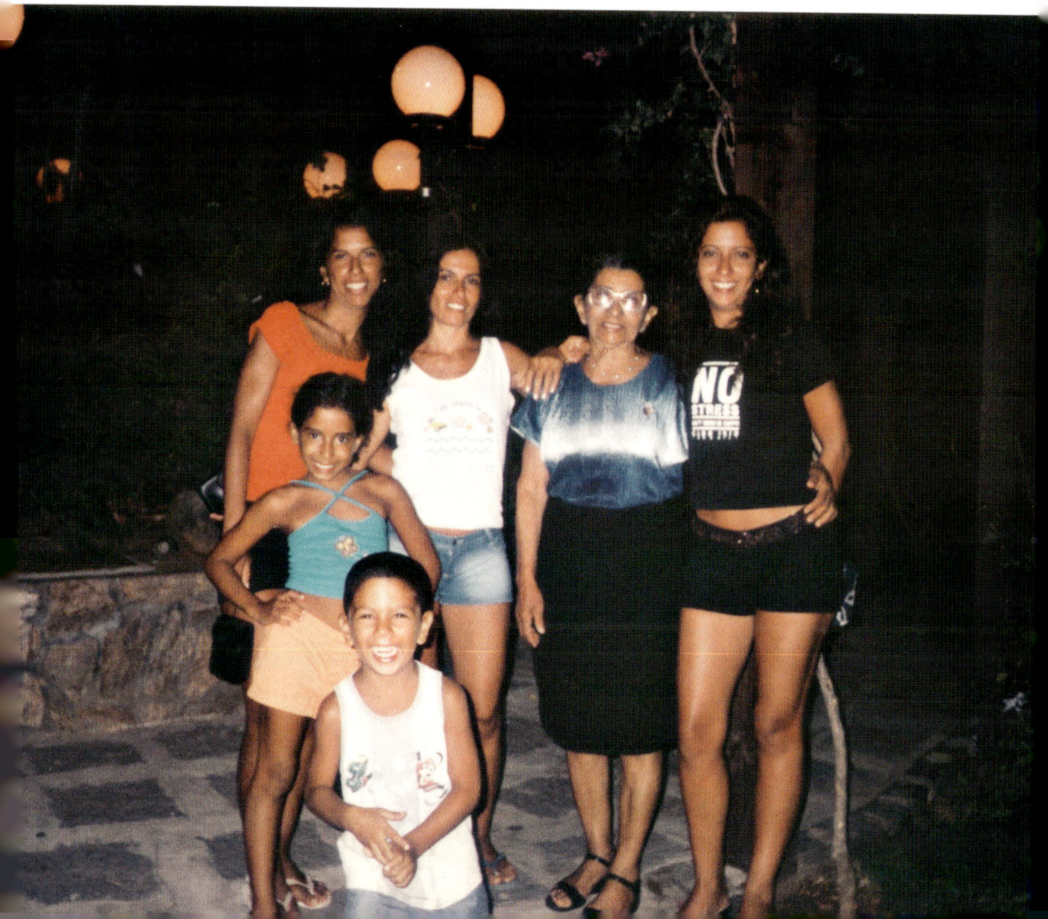
NO

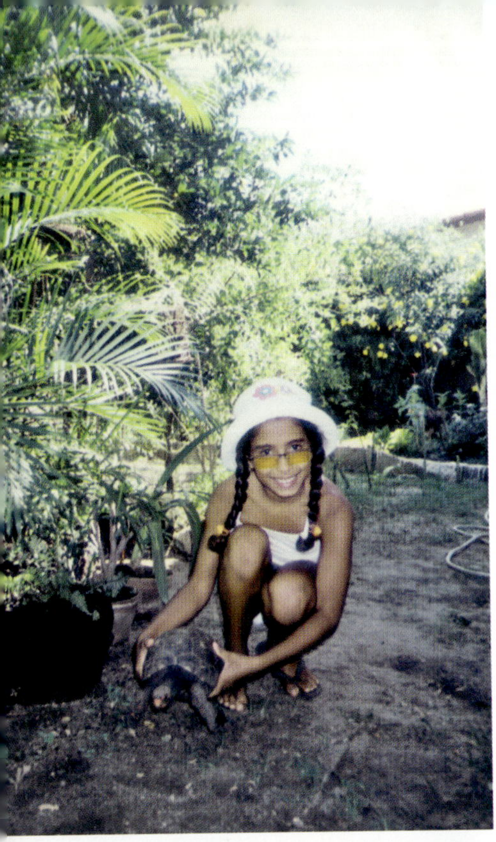
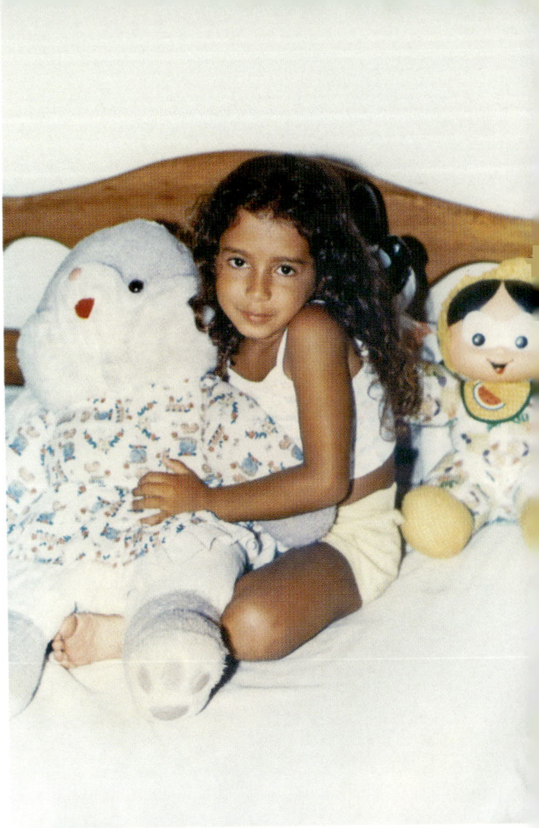
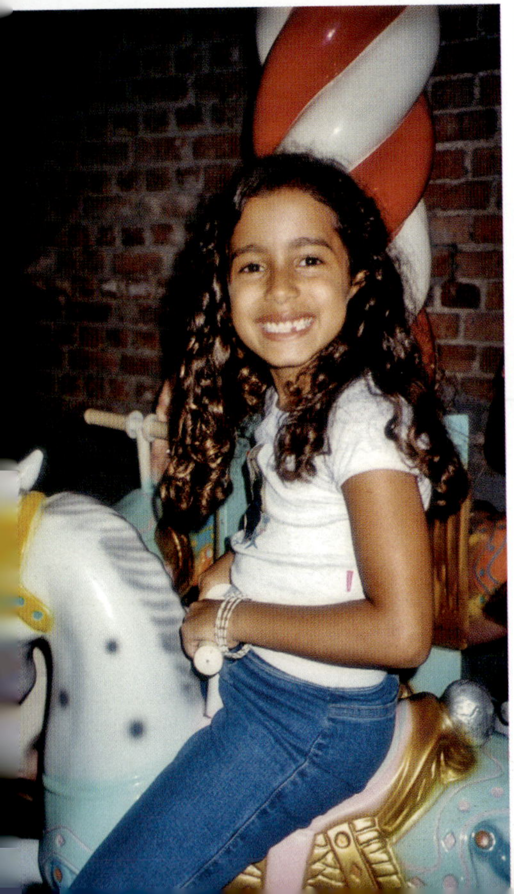
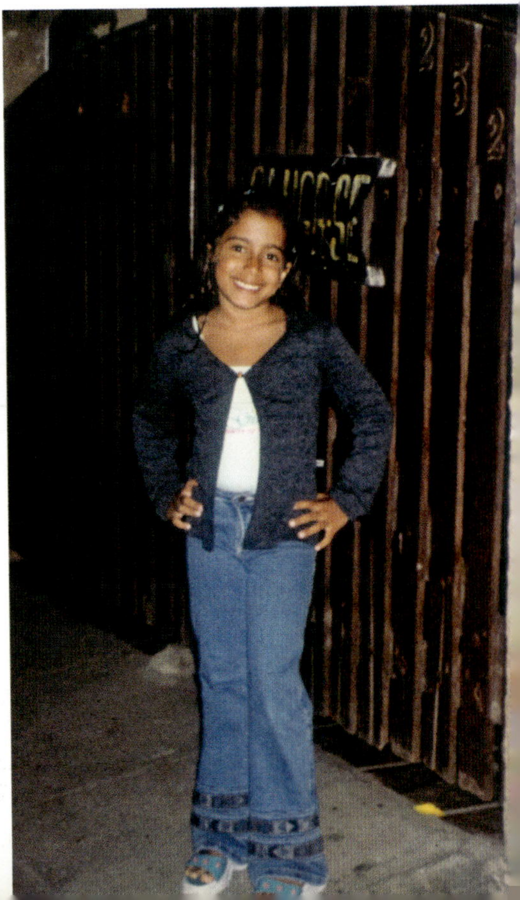

Em vários momentos da infância, sempre estampando um sorriso confiante no rosto.

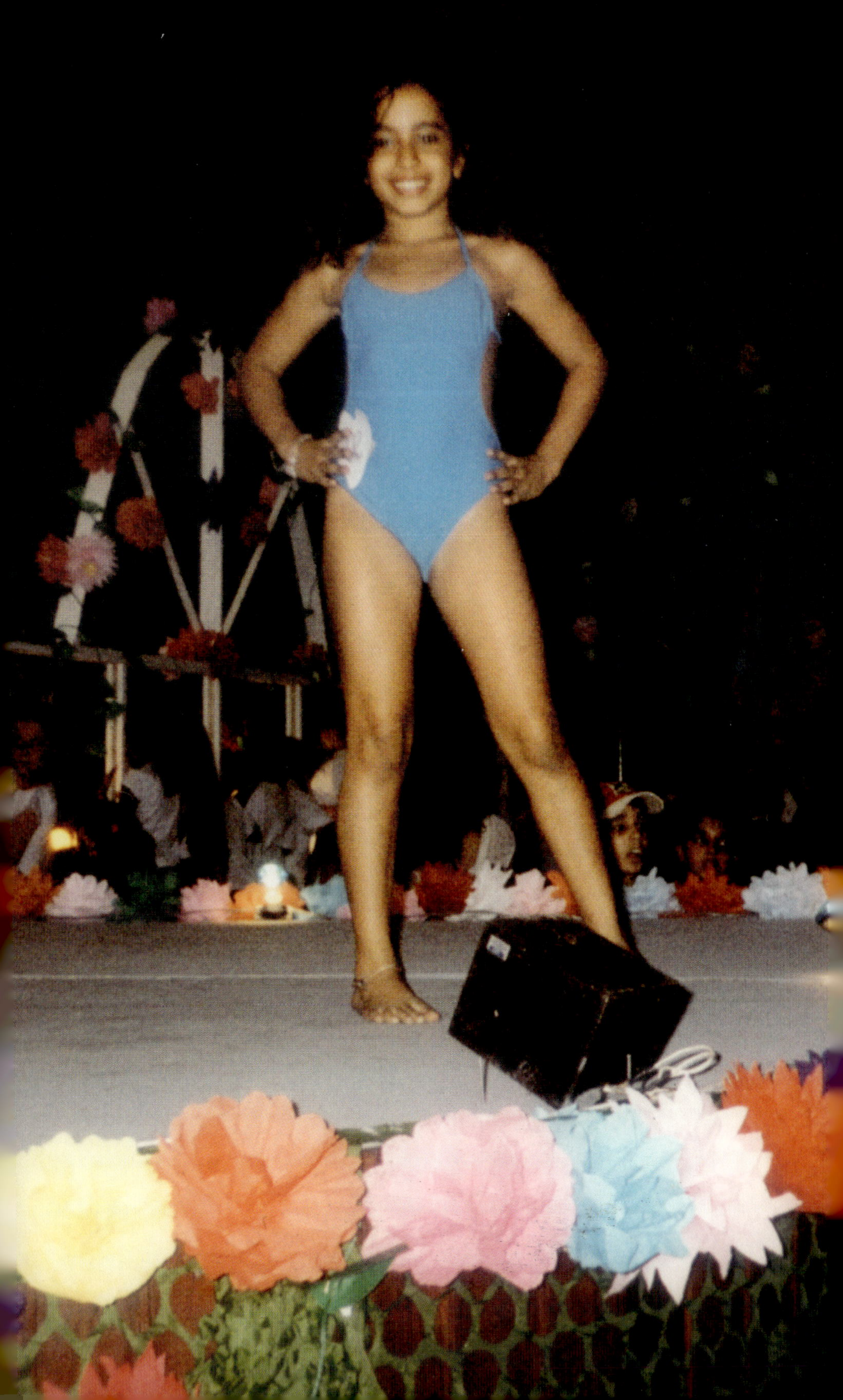

Quando o dinheiro apertou, Larissa se inscreveu no Concurso da Primavera promovido pela escola em que estudava e que daria bolsa de 50% de desconto nas mensalidades do ano seguinte ao vencedor. Com sua determinação, venceu o concurso, garantindo para ela e para o irmão mais um ano no Colégio São Sebastião. Ao lado e acima, com o último look do concurso.

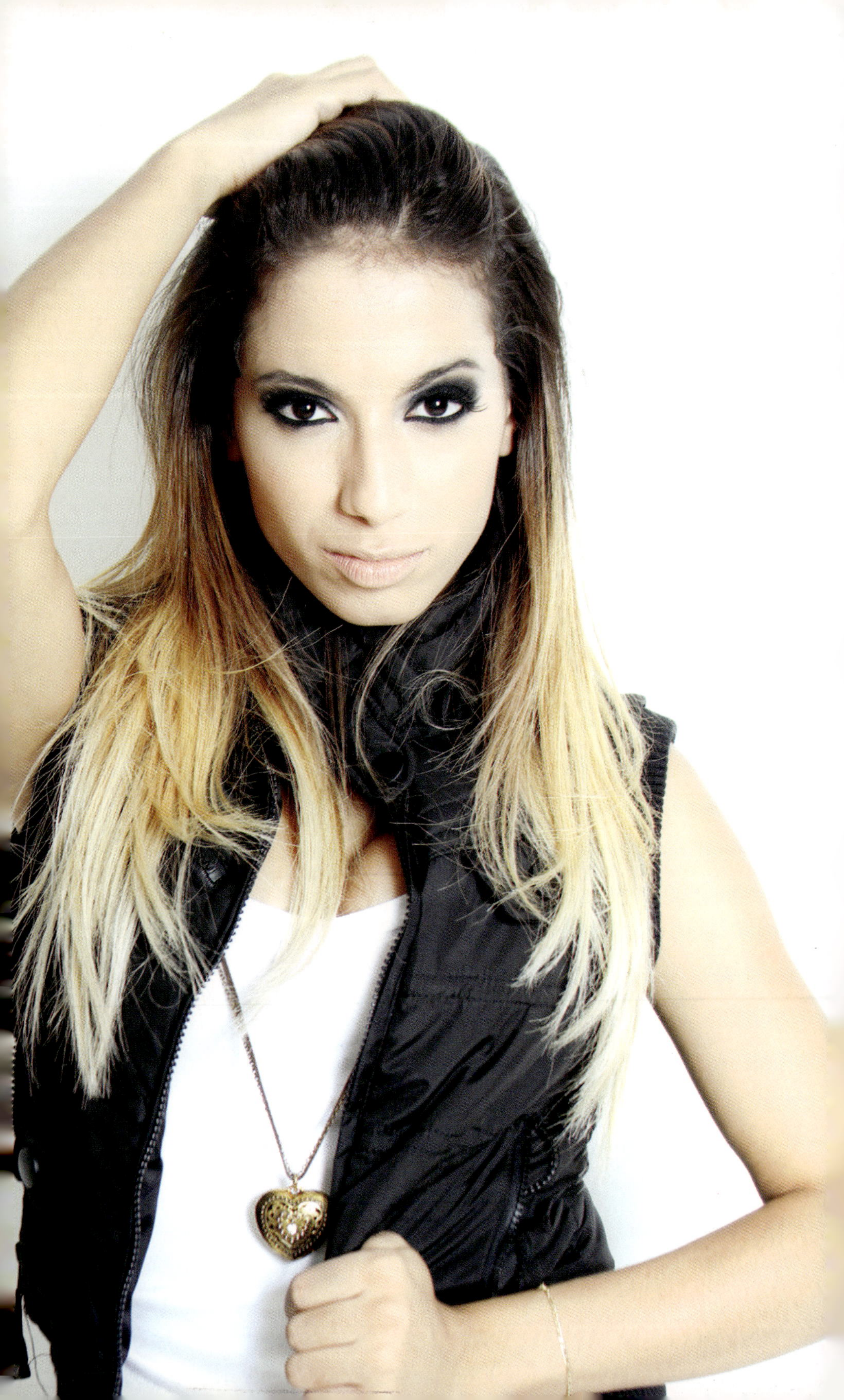

No início da carreira, Larissa adotou o nome artístico Anitta. Alguns anos depois, estourou em todo o país com o "Show das Poderosas".

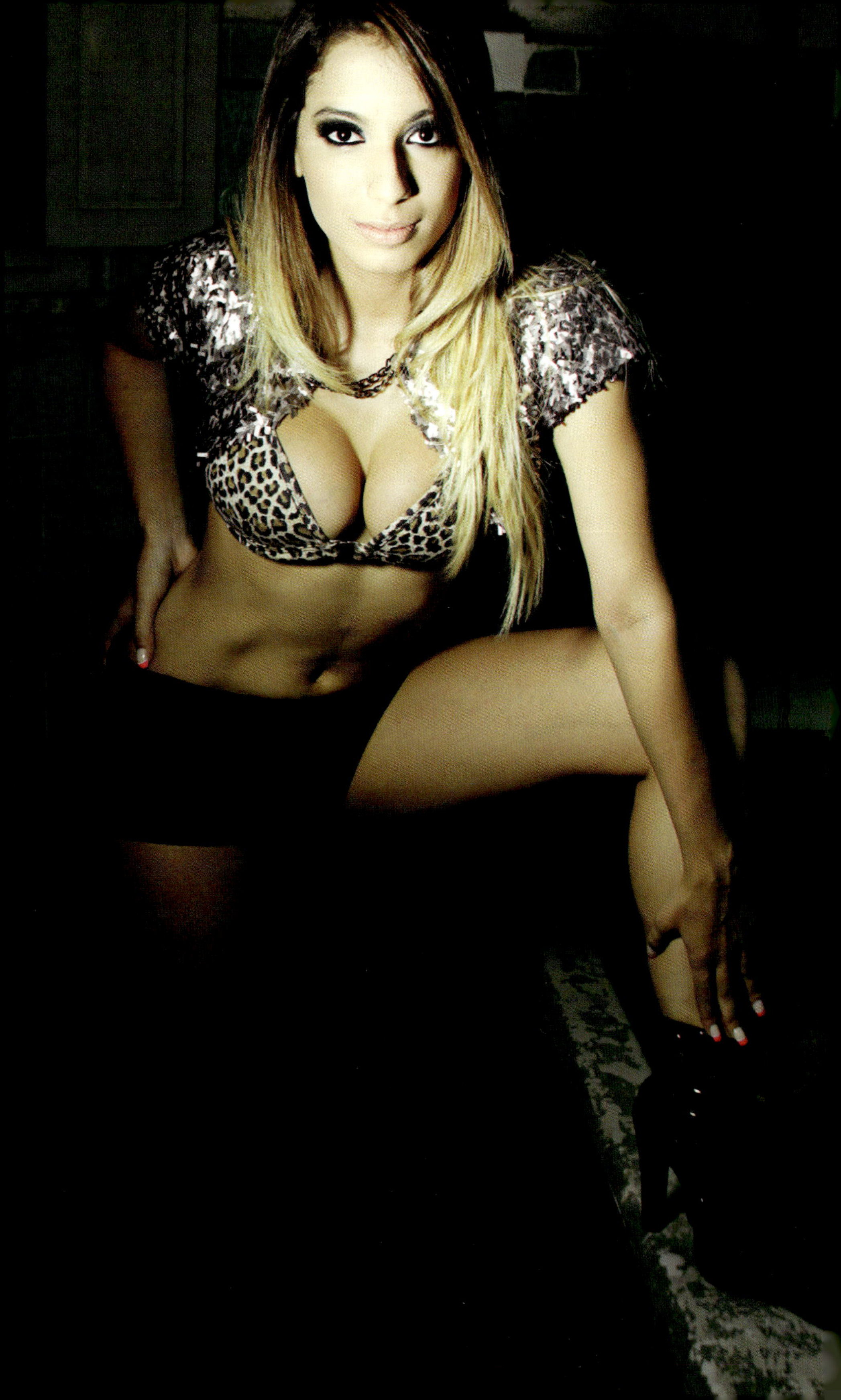

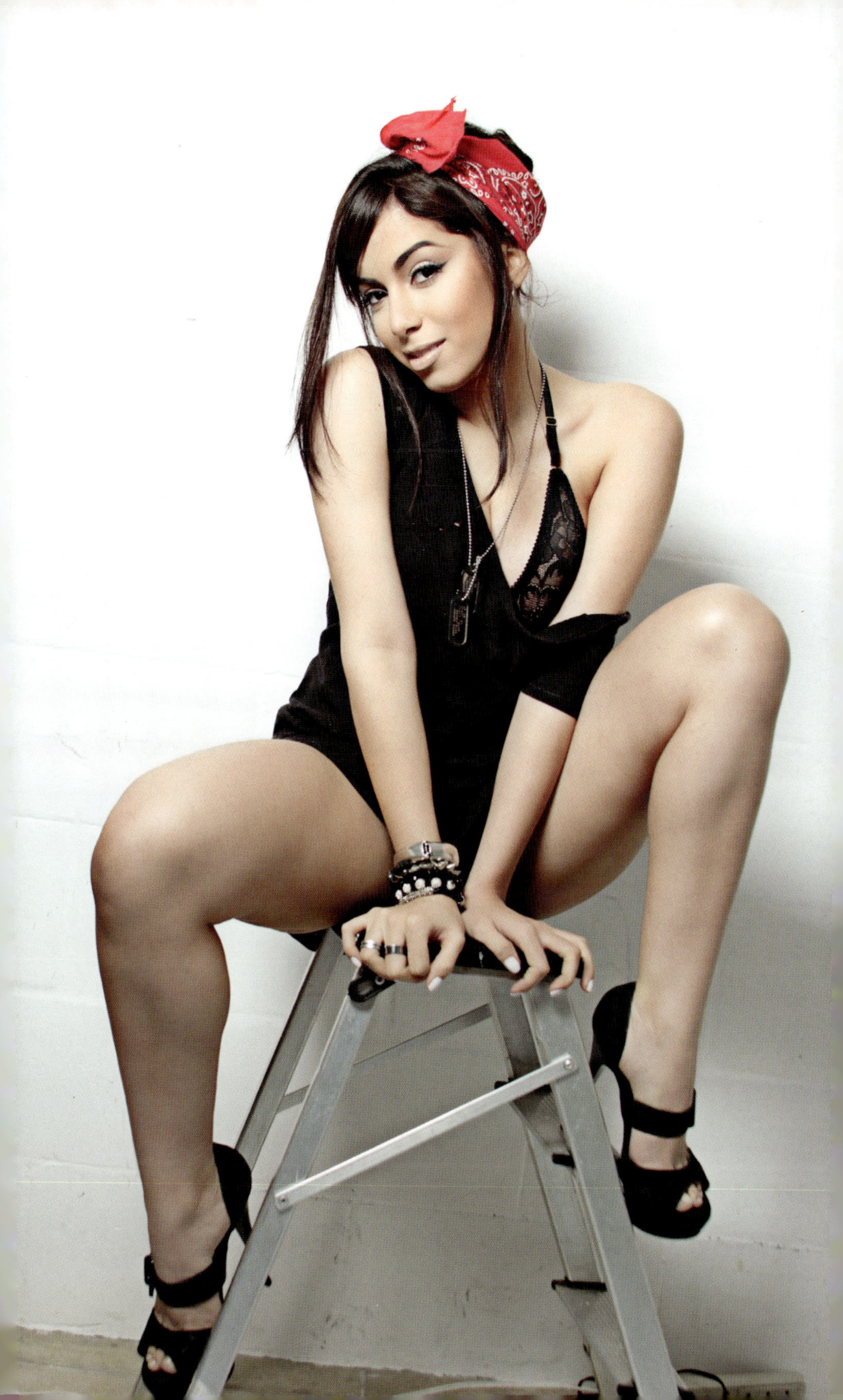

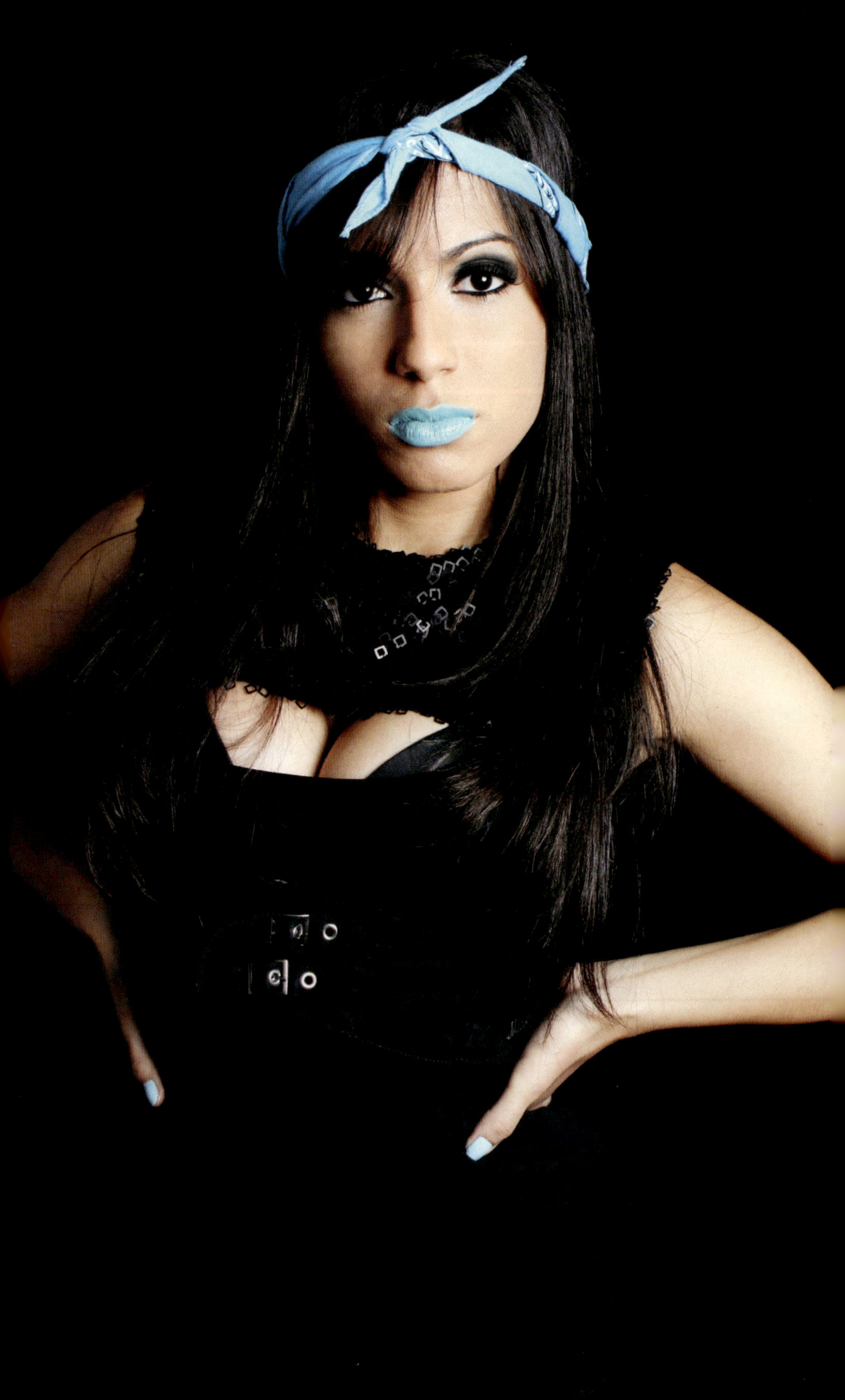

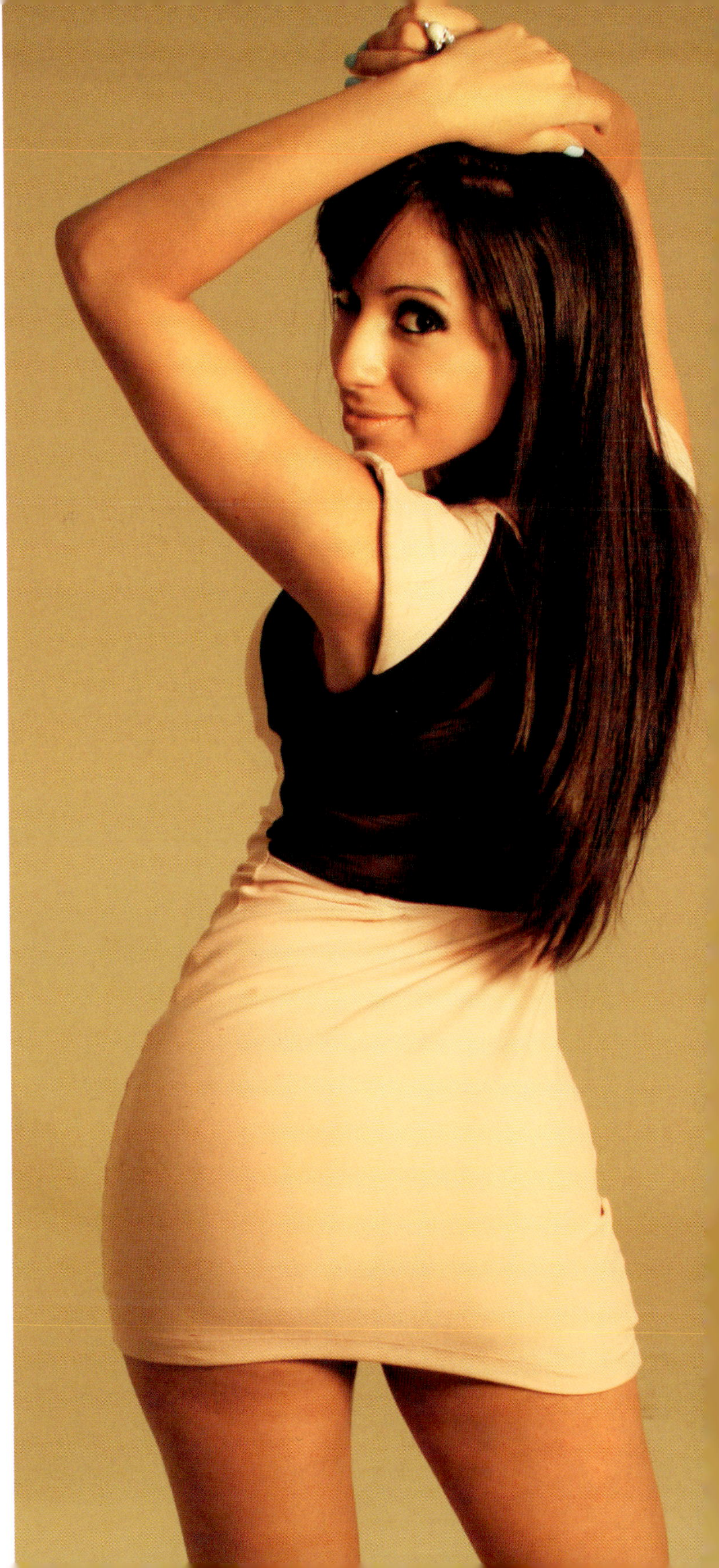

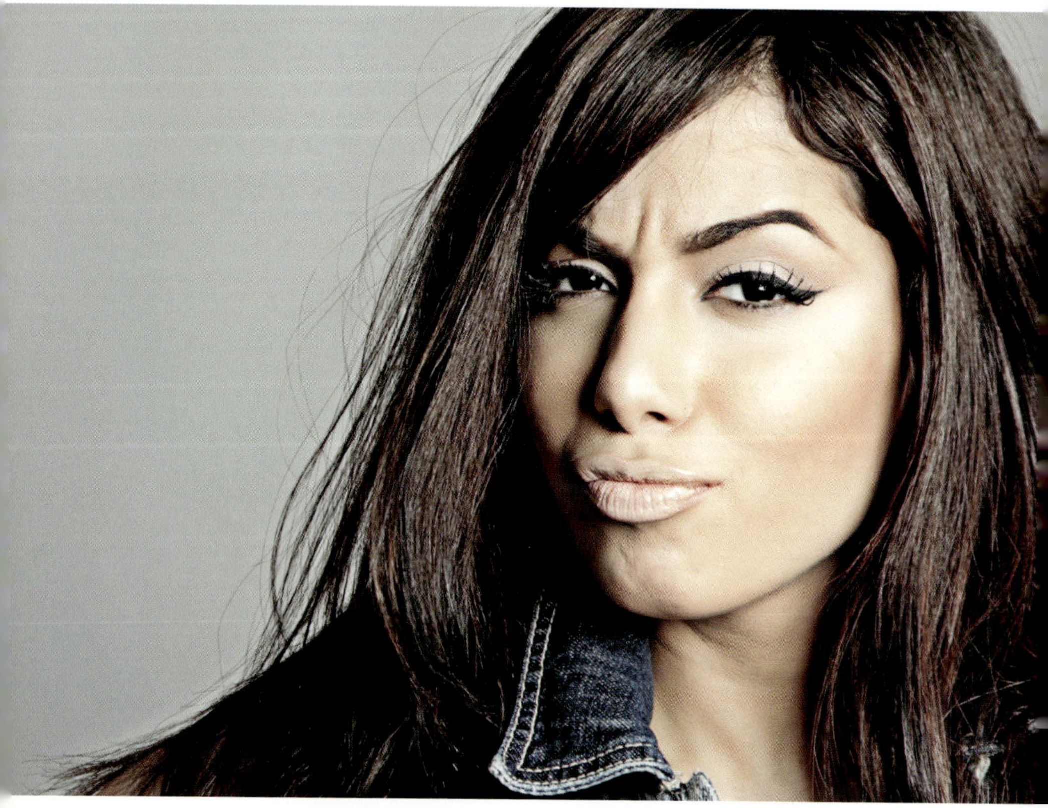
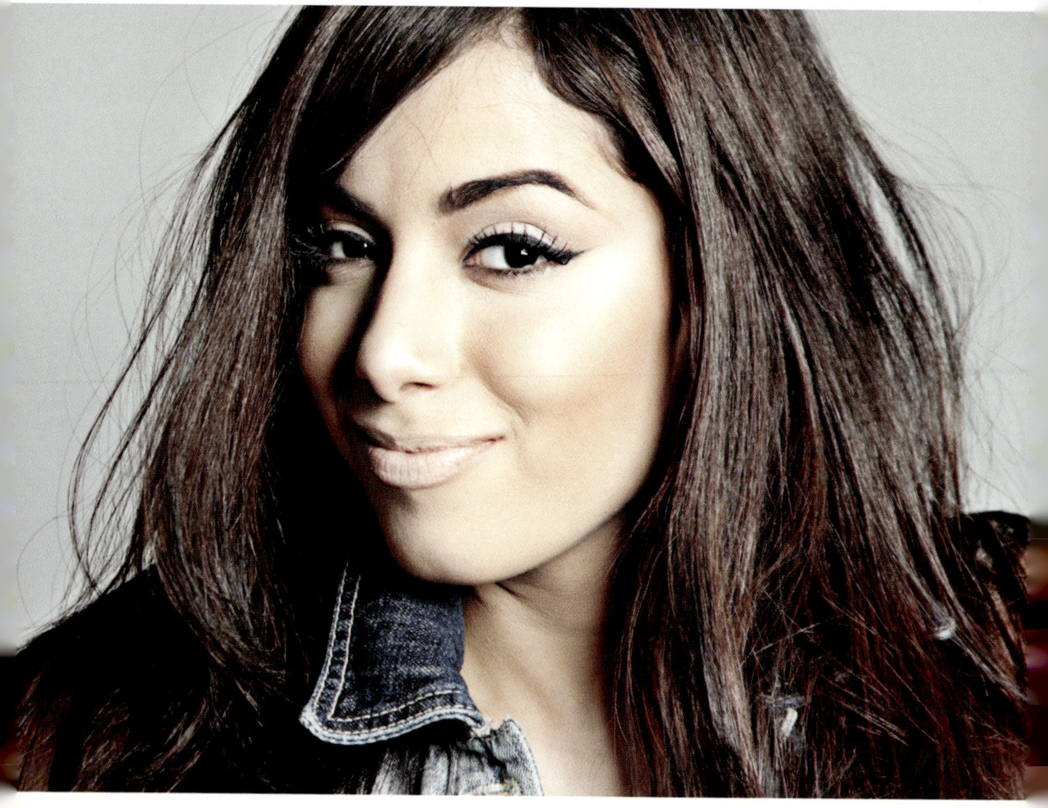

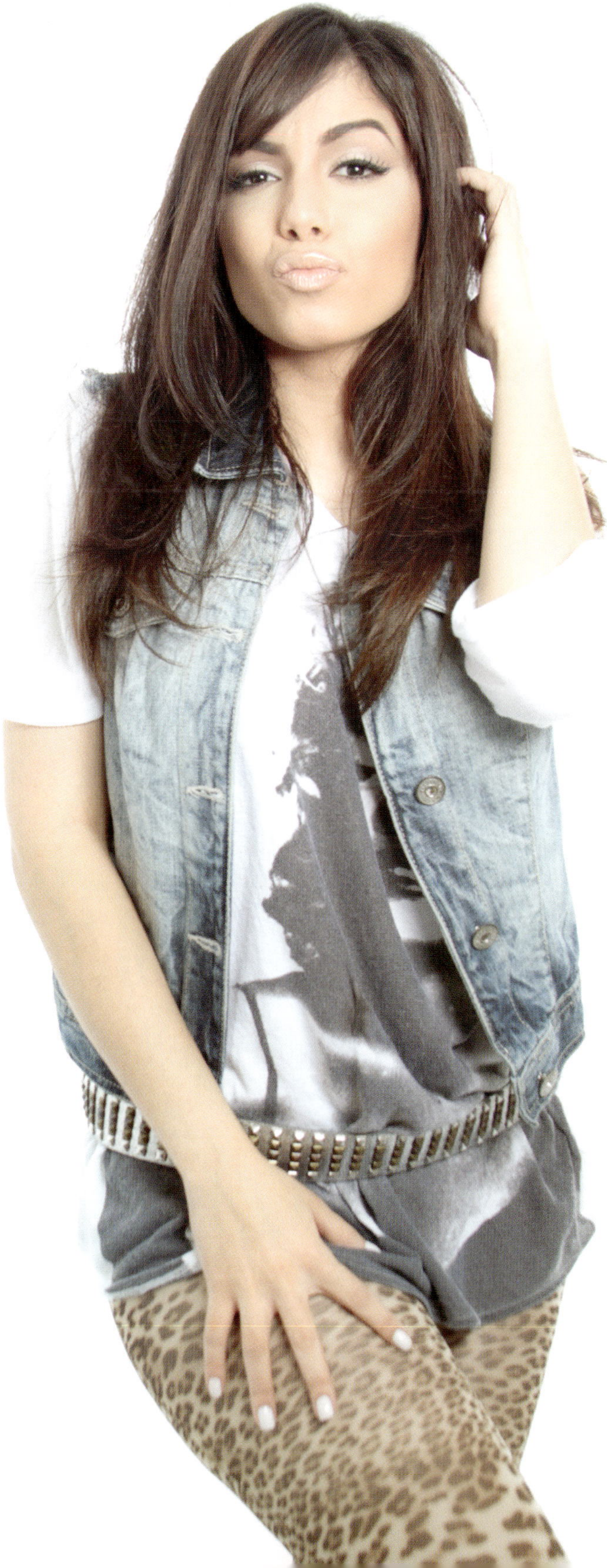

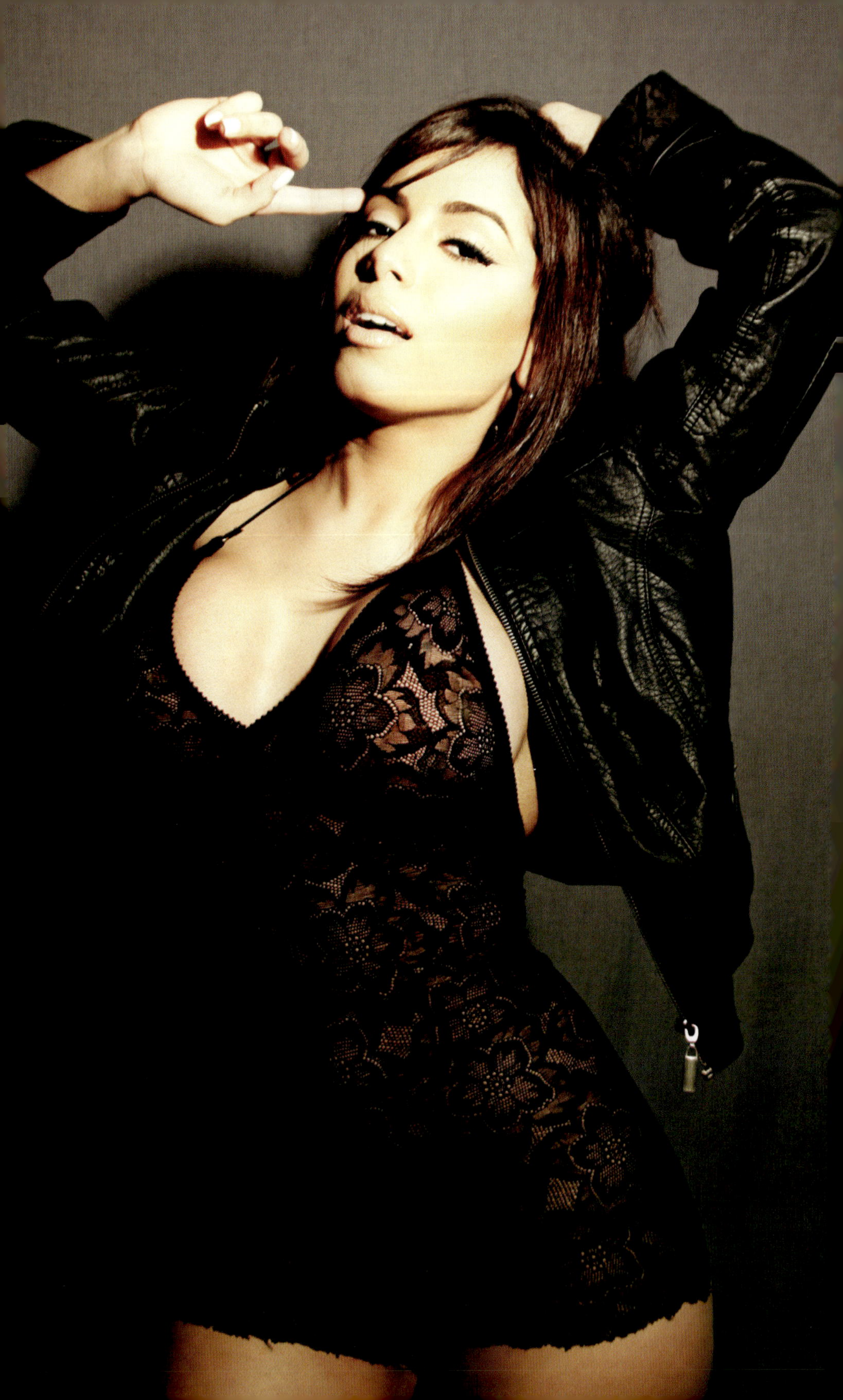

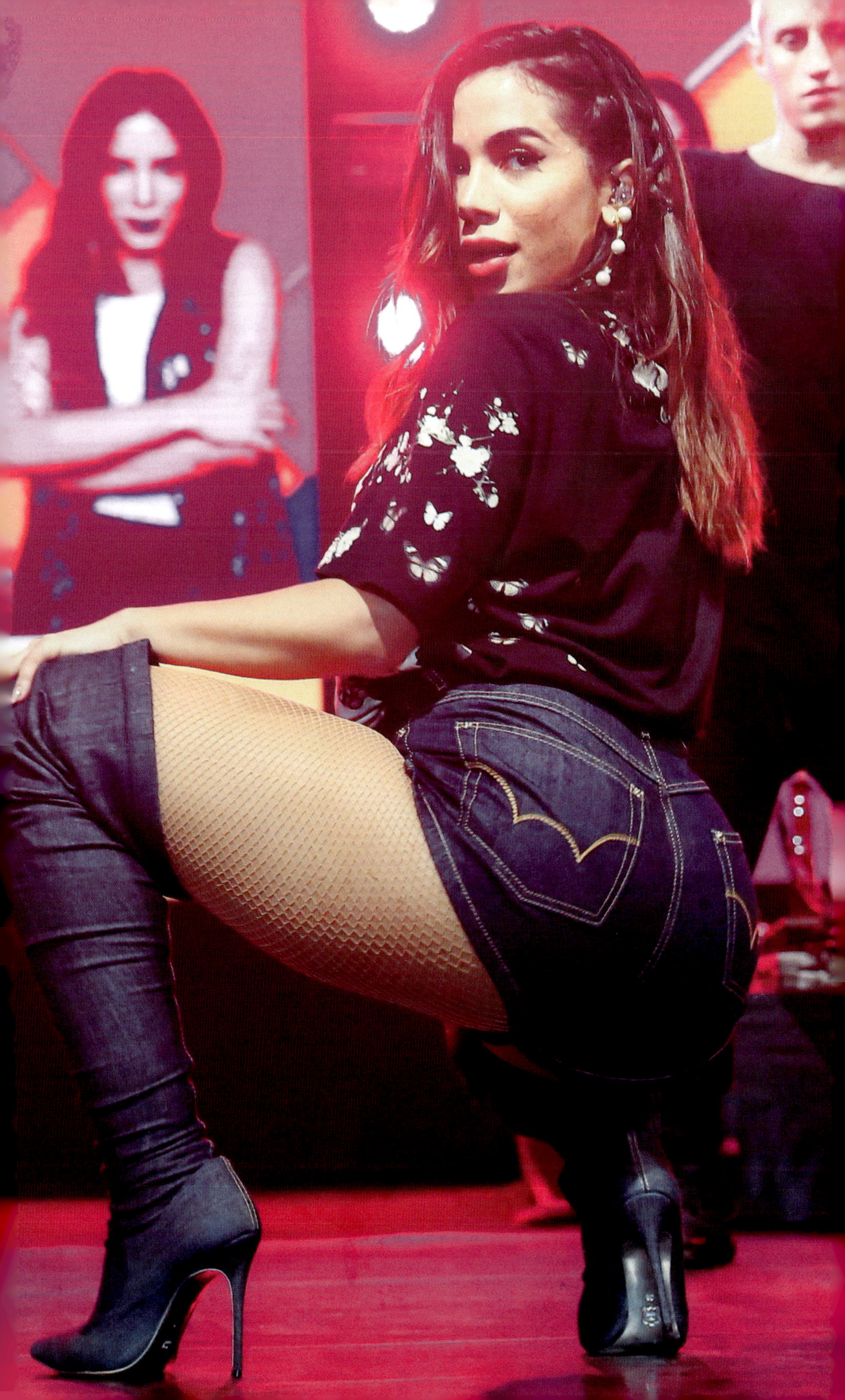

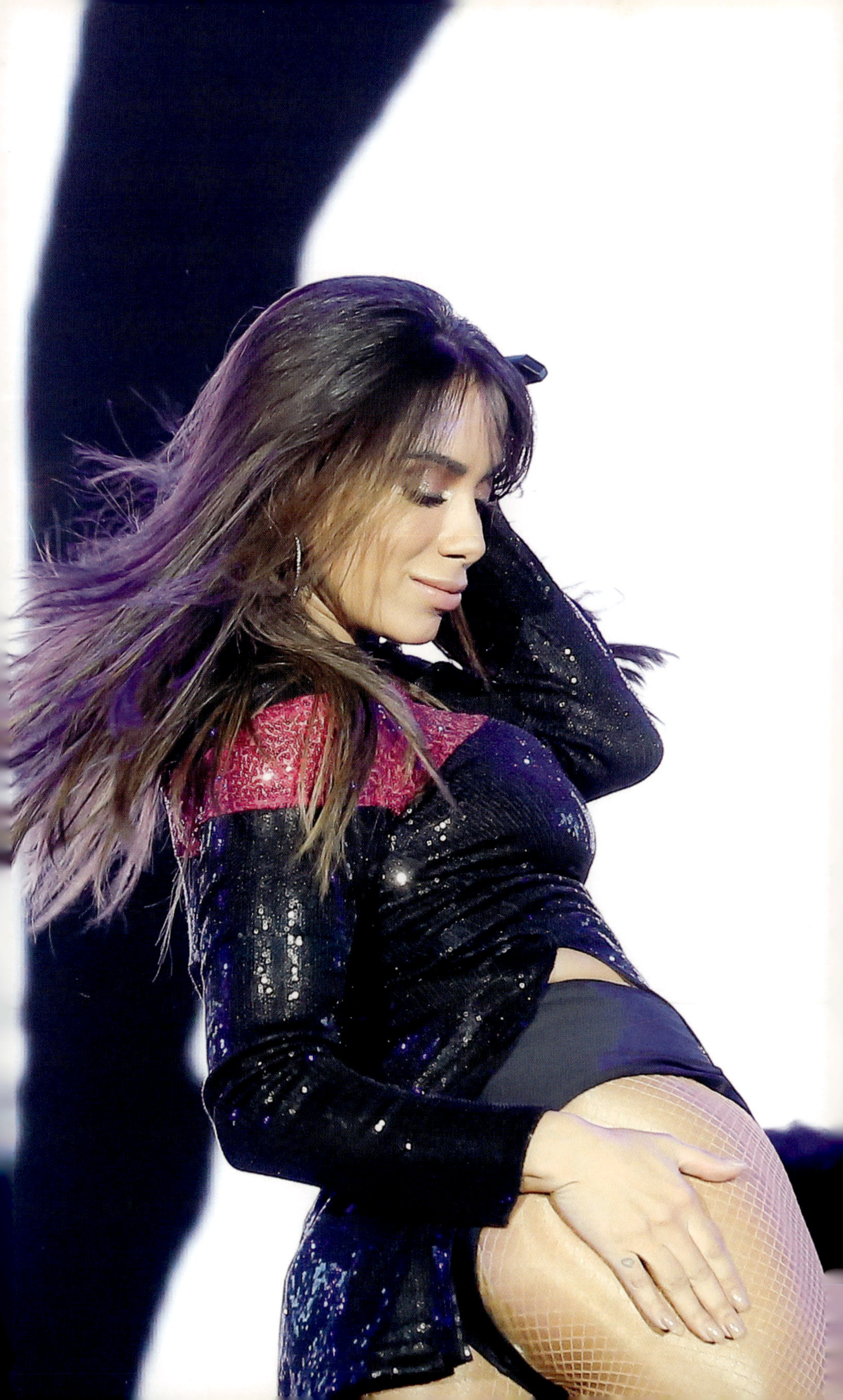

A *sexbomb* rebolativa, poderosa, meiga e abusada, com apenas 25 anos já deixou marcas inesquecíveis no cenário da música pop internacional.

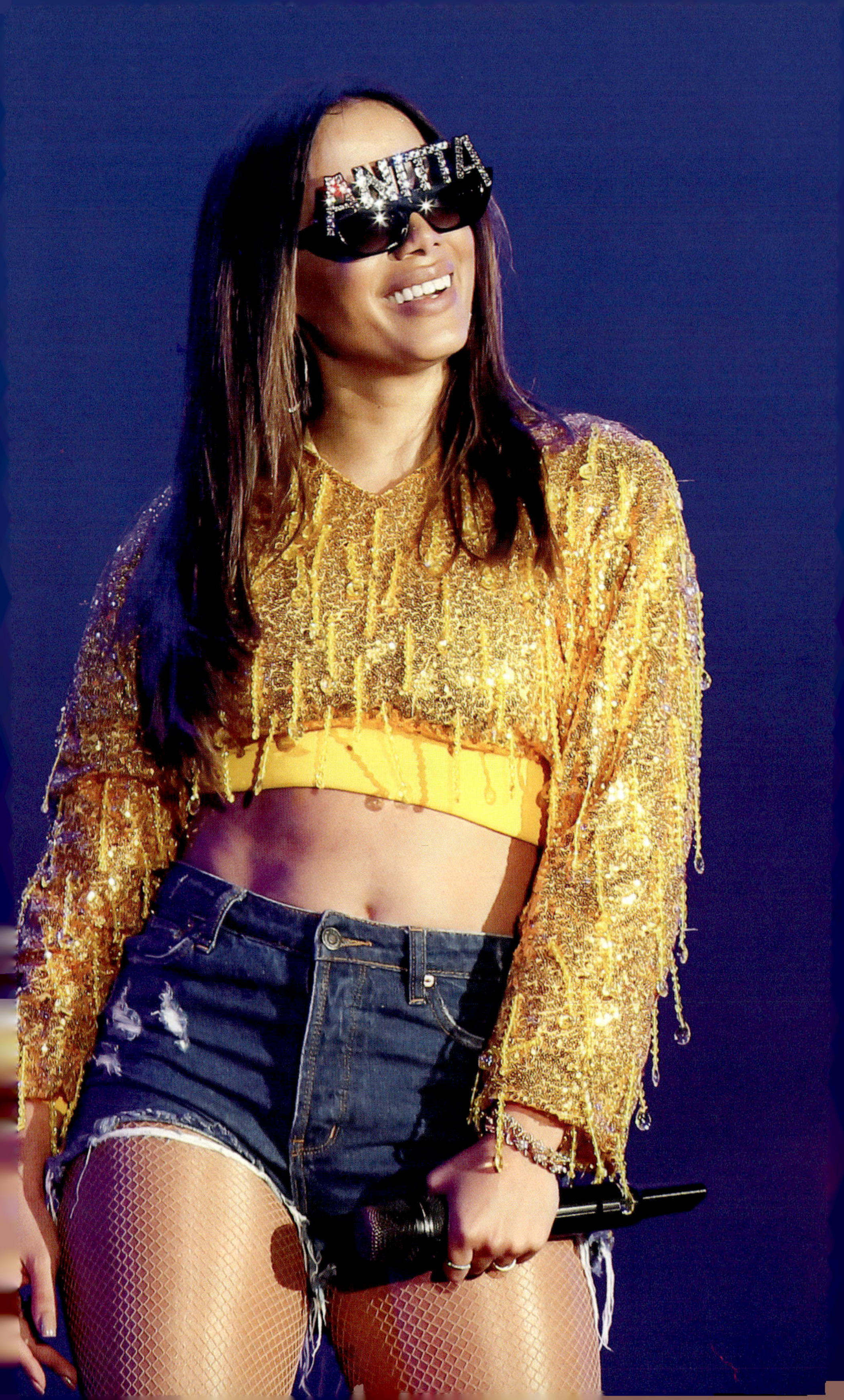
ANITTA

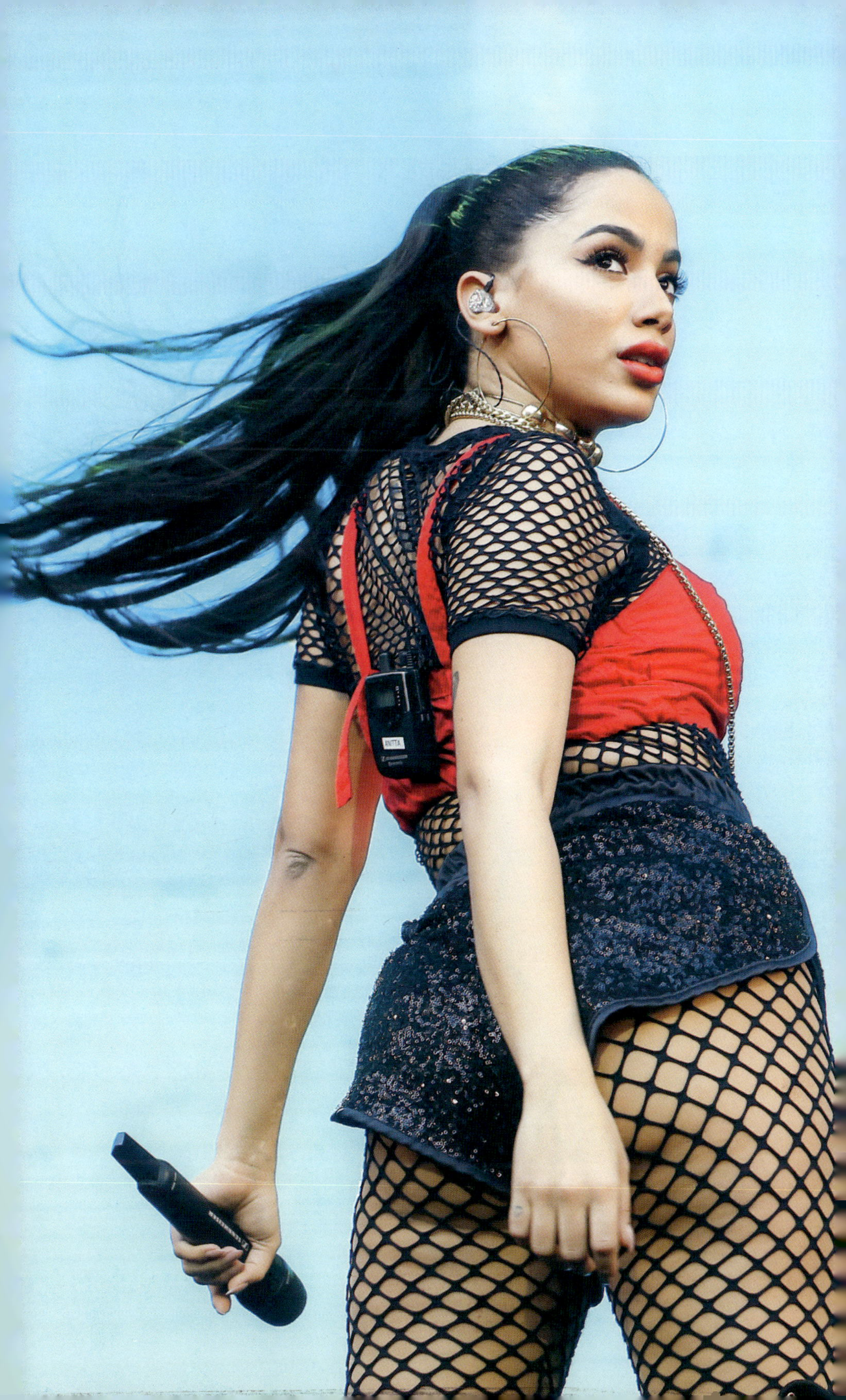
ANITTA

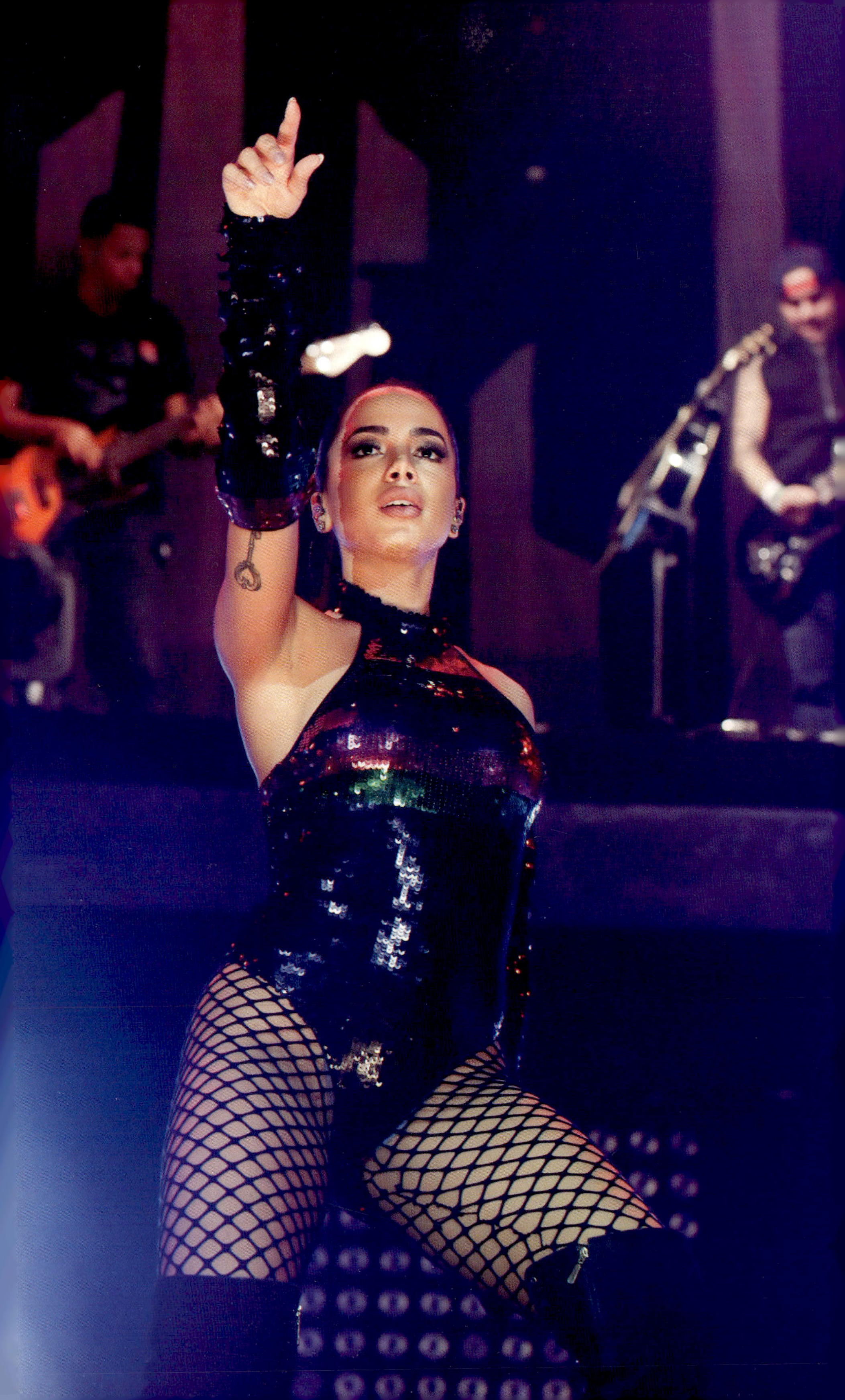

MENINAS MÁS

Tudo o que descobriu durante a viagem para a Disney, especialmente nas conversas com Gersinho e com o agora ex-namorado Tuka, contribuiu para Anitta tomar uma decisão. Iria processar a K2L e Kamilla Fialho.

Ela se sentia enganada pela empresária, que havia se tornado dona dos maiores sucessos da cantora até aquele momento e agia nos bastidores para esconder as falcatruas que fazia.

O sonho havia acabado. Quando trocou a Furacão 2000 pela K2L, Anitta imaginou que iria trabalhar com pessoas competentes, honestas e confiáveis. Mas o dinheiro é uma desgraça...

A ação foi impetrada em 28 de agosto de 2014. Nela, Anitta pedia a prestação de contas da K2L, alegando haver uma disparidade entre os valores recebidos pela empresa que geria sua carreira e a quantia entregue a ela. A cantora acusava Kamilla Fialho de desvio de dinheiro, inventando despesas e omitindo recebimentos. Era algo muito grave. Segundo uma perícia contratada por Anitta, esse desvio chegava ao valor de 2.479.300,00 reais.

Mas, até chegar às vias de fato, Anitta usou como ninguém seu lado atriz. Passaram-se cinco meses entre seu aniversário e o anúncio do rompimento com a K2L. Durante esse meio-tempo, a cantora permaneceu calada, sorrindo ao lado de Kamilla e organizando toda a virada de mesa. Ela sabia que não podia contestar abertamente as contas — precisava romper com a empresa e entrar na Justiça pedindo explicações.

Foi um período de muito sofrimento para Anitta e seu irmão, Renan. Ele ficou responsável por achar um escritório de advocacia confiável e, principalmente, que mantivesse tudo em absoluto sigilo.

Mas algumas informações que chegavam à mídia dedicada à vida das celebridades davam conta de que algo não ia bem naquela relação. E adivinha quem as estava vazando? Pois é: o tal advogado "confiável", que queria fazer nome em cima daquele processo. Anitta ficou possessa, trocou de escritório e se esforçou muito para desmentir todas as notícias. Ela sabia que precisava controlar a imprensa, caso contrário seu plano iria por água abaixo.

Com a nova equipe de advogados trabalhando a todo vapor e a base do processo concluída, era hora de sair das sombras. No dia 21 de agosto de 2014, Anitta passou aos amigos mais próximos um novo número de telefone, com a recomendação de não o compartilharem com ninguém. Naquela mesma semana, Kamilla Fialho embarcou para a Califórnia, onde iria passar uma temporada estudando inglês.

Então, veio a bomba.

No dia 28, por volta das sete da manhã, Anitta mudou a senha de todas as suas redes sociais e deletou o nome da K2L de todas elas. Uma hora e meia depois, chegou à sede da agência, na Barra, uma carta-notificação rompendo as relações entre a artista e a empresa.

Aqui, leitor, peço licença para me colocar um pouco nessa história. Uma biografia é uma espécie de reportagem, então seria melhor que o autor ficasse oculto. Mas, no caso, vai ser impossível, porque praticamente tudo o que aconteceu a partir da carta-bomba enviada por Anitta ao escritório de Kamilla Fialho passou, de alguma maneira, por mim. Sempre em primeira mão. Até porque, já naquela época, minha relação com todos os envolvidos nesse caso já era forte. Eu conhecia pessoalmente tanto a artista quanto seus empresários. Tinha seus telefones pessoais e conversava frequentemente com eles, em busca de boas notas, fofocas de bastidores e furos de reportagem. Então, para ser fiel aos fatos, aqui vai o relato a partir do meu ponto de vista.

* * *

Eram onze da manhã quando o meu telefone tocou e, do outro lado da linha, a fonte garantiu:

— Pronto, pode publicar. Anitta rompeu com a Kamilla.

Eu não entendi e custei a acreditar. Liguei imediatamente para a Anitta.

— O que está acontecendo? Eu preciso que você me fale a verdade.

Ao que ela respondeu:

— Me fala o que você sabe que eu te conto a verdade.

Coube a mim ligar para a K2L. Falei com Raphael Brahma, o ser mais inocente de toda essa trama.

— Raphael, a Anitta rompeu com a K2L — avisei.

— Não pode ser, Leo. Não pode ser verdade. Nós somos uma família — disse o rapaz, ainda sem entender o que acontecia. Ele ligava insistentemente para Kamilla, que não atendia o celular, pois estava no meio de uma de suas primeiras aulas de inglês na longínqua Califórnia.

— Rapha, a família não existe mais — respondi, para ver se ele entendia de uma vez.

Reza a lenda que, quando Kamilla finalmente atendeu às chamadas, desmaiou ao saber do rompimento.

A partir daquele dia, tudo mudou nas vidas de Kamilla e Anitta. Mas havia dois sentimentos em comum entre elas: o ódio e a incerteza. O primeiro não é preciso explicar. Quanto ao segundo, o Brasil se perguntava: como Anitta sobreviveria sem Kamilla? E vice-versa. Muita gente apostava que seria o fim da cantora. Para todos, a empresária dizia que só tinha errado em um ponto: não ter patenteado o nome "Anitta", como se tivesse sido uma criação sua.

É importante ressaltar que, antes de começar a briga judicial, Anitta tentou um acordo com Kamilla. Por intermédio do irmão, ofereceu um milhão de reais para a ex-empresária. A resposta foi uma sonora gargalhada e a promessa de uma disputa duríssima nos tribunais.

No dia seguinte ao rompimento, a equipe que trabalha para a minha coluna no jornal *O Dia* já conseguiu ter acesso ao processo e a todas as acusações de roubo que Anitta fazia contra Kamilla. Ambas pediram segredo à Justiça, para que ninguém tivesse acesso às acusações mútuas. Mas a Justiça não concedeu o direito a nenhuma das partes. Tanto que, até hoje, qualquer pessoa pode ter acesso às 28 mil páginas que compõem o processo.

Na documentação é possível descobrir, por exemplo, que Anitta tinha direito a 40% do valor dos shows que fazia, enquanto a K2L ficava com 60%. O curioso é que o valor das apresentações variava muito, sem uma explicação racional. Além disso, todas as despesas de Anitta eram pagas pela K2L, até a compra de absorventes, por exemplo.

O que mais chocou Anitta e Renan durante a perícia foi a descoberta de algo do qual eles nunca haviam ouvido falar: um "Fundo Anitta". Para que servia o tal fundo? E por que nunca souberam dele? Kamilla explicou que era uma reserva para as despesas da cantora, já que ela gastava de forma "desmedida", gerando um rombo no orçamento da empresa. Segundo ela, o "produto" Anitta gastava tanto, mas tanto que o saldo negativo desse "centro de custo" chegou a 2.430.438,61 reais em valores da época. Quando soube dessas afirmações, a cantora ficou irritadíssima. Afinal, quem definia todos os gastos era a própria Kamilla.

Quem conhecia Anitta também estranhou. Ela sempre teve fama de pão-dura. Na viagem que fez para comemorar o aniversário na Disney, por exemplo, reclamava do preço de absolutamente tudo. Tuka, seu ex, se assustava às vezes. "Até as camisetas ela achava caras", conta.

Um de seus funcionários mais íntimos lembra que, durante a gravação do clipe "Sua Cara", no Marrocos, havia um longo trajeto entre o aeroporto e o local das gravações, no meio do deserto. Para chegar lá, havia duas opções: alugar um jatinho ou enfrentar nove horas em uma van sob o intenso calor do país africano. Qual foi a escolhida pela artista? Até hoje tem gente suando por causa daquela viagem...

Anitta contesta veementemente a expressão "pão-dura". Mas também não é de esbanjar dinheiro. Afinal, tem na história e na memória a vida difícil de Honório Gurgel e sabe muito bem que não precisa gastar demais para ser feliz.

Seguindo na leitura do processo, chega-se à já citada explicação de Kamilla para justificar gastos de mais de 1,4 milhão de reais sem notas fiscais: "No Brasil não se constrói uma carreira meteórica como a de Anitta sem o famoso jabá."

Nesse trecho, é possível ter uma ideia de toda a raiva que a empresária estava sentindo. Ela tenta de todas as formas humilhar a artista, como se cuspisse no prato em que comeu. Para começar, afirma que "resgatou" Anitta dos bailes funk, como se isso fosse algum problema. A cultura dos bailes no Rio é forte e tem influência, inclusive, sobre os riquinhos da Zona Sul. Vide o Baile da Favorita, que é uma cópia asséptica dos eventos da favela. E vale lembrar, também, que Kamilla deslanchou na própria carreira com o apoio do então marido, Dennis DJ, que fez fama tocando... funk!

Em seguida, Kamilla volta a tripudiar, afirmando que Anitta só tinha música "em primeiro lugar nas paradas de sucesso (...) à custa de muito jabá".

Diante de tais afirmações, a Justiça pede então à K2L que liste as rádios e os valores dados para a execução das canções de Anitta. Kamilla alega que foram vários tipos de jabás, desde pagamento a produtores de rádio até verba para participar de programas de TV e, ainda segundo a empresária, "muita bajulação" através de dinheiro.

Para completar, Kamilla chama Anitta de caloteira por não ter repassado à K2L as porcentagens relativas às suas participações na *Dança dos Famosos*, em 2014, e em um especial de fim de ano da TV Globo ao lado de Renato Aragão, naquele mesmo ano.

Muitas das derrotas de Anitta neste período foram consideradas estranhas por sua equipe de advogados. A começar pelo fato de o processo nunca ter sido considerado "segredo de Justiça". Conservadora, a juíza Flávia Viveiros de Castro sempre se mostrou muito dura com quaisquer solicitações do escritório da cantora — e até mesmo com a própria artista, a quem considerava vulgar e um mau exemplo para crianças e jovens. Em dezembro de 2017, por conta dessas atitudes, o escritório que defende a cantora recorreu ao Conselho Nacional de Justiça contra a magistrada. Seis meses depois, houve uma nova ação tentando tirar a juíza do processo, dessa vez na 9ª Câmara Cível do Tribunal de Justiça do Rio de Janeiro. Nessa ocasião, os advogados de Anitta estranharam o fato de a K2L ter tido acesso a uma solicitação feita por eles antes mesmo de o pedido ter sido colocado no sistema do TJ. Haveria vazamento seletivo de informações?

Mesmo com tantos motivos, Anitta não conseguiu tirar a juíza do processo.

Mas as derrotas mais doloridas foram, claro, as que envolveram altas quantias em dinheiro. Em julho de 2015, por exemplo, Anitta se viu obrigada a depositar, do dia para a noite, três milhões de reais numa conta judicial — o valor foi emprestado pelo amigo e investidor Roberto Burstin. Em março de 2018, mais um revés. Dessa vez, o depósito foi de 2,8 milhões de reais. Essa fortuna toda era para garantir o pagamento da multa pela rescisão do contrato.

Ainda assim, mesmo já tendo perdido quase seis milhões, Anitta continuava firme no propósito de levar o processo até as últimas consequências. Ela se sentia muito injustiçada e passada para trás por Kamilla. E não admitia sair por baixo naquela história toda. Ainda mais porque sua carreira havia deslanchado desde 2014 — indo muito além do que a antiga empresária poderia sonhar, inclusive.

Por outro lado, Kamilla estava seguindo ladeira abaixo. Para ela, os milhões que poderia ganhar no fim do processo seriam muito bem-vindos.

Mas, além do interesse financeiro, havia também outro sentimento movendo Kamilla desde o início daquele imbróglio: orgulho.

Ela queria provar para o mundo que Anitta não fora um acaso do destino e que seu papel como empresária tinha sido fundamental para a criação daquele furacão.

Exatos dez dias após o rompimento com a antiga pupila, Kamilla foi apresentada a uma moça tímida, acompanhada da inseparável mãe, que tinha um nome pouco sonoro: Léa Cristina. Quem levou a garota ao escritório da empresária foi Renato Azevedo, mais conhecido como DJ Batutinha. Lembra dele? O mesmo que apresentou Naldo e a própria Anitta para Kamilla.

Eis que, quatro meses depois, Lexa surge no *showbiz* brasileiro como a nova aposta de Kamilla Fialho.

Mas...

O mercado imediatamente entendeu aquele movimento e passou a tratar a cantora como um genérico de Anitta.

Foi um balde de água fria em cima da empresária. Ela tinha certeza de que iria transformar a garota em um fenômeno. Tanto que tomou medidas que não havia tomado com Anitta. A mais radical foi patentear o nome artístico de Lexa, deixando a cantora absolutamente amarrada. O mais bizarro dessa história é que Lexa era o apelido familiar de Léa Cristina. Desde criança ela era chamada assim pelos parentes e amigos mais próximos. Agora, esse nome era propriedade de Kamilla.

Os problemas entre as duas não tardaram a aparecer. Exatamente como fez com Anitta, a empresária moveu mundos e fundos para oferecer à nova contratada aulas de música, dança e voz. Chamou gente tarimbada para escrever letras, produzir clipes. Só que faltava alguma coisa. Kamilla não conseguia fazer Lexa ser ousada como Anitta naturalmente sempre foi. "Faz cara de sexy", "encurta essa saia", "faz umas poses ousadas". E nada. De família conservadora e querendo se mostrar mais artista do que símbolo sexual, Lexa desafiava as determinações da empresária.

Não à toa, sua primeira música de trabalho, a insossa "Posso Ser", deixou a desejar. Detalhe: muita gente enxergou no título uma alfinetada em Anitta. Era como se Lexa estivesse querendo mandar um recado, dizendo que poderia ocupar o espaço da rival. Claro que não rolou. Nunca.

E olha que não faltou investimento. A K2L estava com os cofres cheios graças à Anitta, que cumpriu até o fim sua agenda de shows acertada com a empresa e não recebeu um centavo por essas apresentações, já que Kamilla embolsou tudo. Assim, foi fácil investir um caminhão de dinheiro para fazer Lexa acontecer. As despesas com a *entourage* eram enormes. Só quem ganhava pouco, mesmo, era a própria cantora. Seguindo a mesma cartilha que havia pautado a relação com Anitta — e, anteriormente, com Naldo —, Kamilla pagava três mil por mês à nova pupila. O acordo entre elas dizia que esse valor seria praticado apenas no primeiro ano de trabalho. Após esse período, Lexa receberia 30% de aumento, o que levaria seu salário para 3,9 mil reais, além de ter participação nos lucros.

Adivinha só?

Pois é, passou o primeiro ano e nada aconteceu.

Como a agenda de shows de Anitta com a K2L chegou ao fim, a fonte secou, pois Lexa não estava conseguindo deslanchar na carreira. O problema nem era com ela, coitada. Mas o mercado realmente não estava conseguindo dar conta daquela situação. E, na hora de dar moral a alguém, claro que Anitta tinha preferência. Para tocar as músicas de Lexa nas rádios, por exemplo, Kamilla teve que subir o jabá para níveis estratosféricos. Segundo correu à boca miúda, na época, para cada lançamento, a empresária tinha que desembolsar quarenta mil reais para garantir sua execução na FM O Dia. E claro que ela pagava, já que, para uma artista no nicho de Lexa, era fundamental estar na rádio líder de audiência entre os jovens de Rio de Janeiro. Não era uma implicância exclusiva, não. Outros artistas ligados ao escritório de Kamilla também sofreram com a briga — especialmente porque o mercado escolheu um lado. No que dizia respeito a Anitta, ela estava muito bem, obrigada. Não queria se meter naquela confusão, e muito menos se rebaixar a ponto de prejudicar a carreira de alguém. Até porque ela sabia que o maior prejuízo que qualquer artista poderia ter era estar ligado a Kamilla Fialho.

E, adivinha só: Lexa não demorou a descobrir isso.

Com o dinheiro cada vez mais escasso e uma estratégia pouco confiável para a gestão da carreira de Lexa, Kamilla passou a ser contestada pela família da cantora. A coisa ficou tão feia que, em janeiro de 2016, a artista decidiu romper o contrato.

Com um leve sorriso nos lábios e meio que esperando por aquele momento, Kamilla não entrou em crise, não alterou a voz e falou calmamente: "Sem problema. Você pode romper comigo e iniciar uma nova carreira. Mas não se esqueça de criar um novo nome, porque o 'Lexa' me pertence."

Em questão de segundos o chão se abriu sob os pés da cantora. Como assim? Aquele era um apelido familiar, uma forma carinhosa de tratamento que a acompanhava praticamente desde o berço. Como começar uma nova carreira com um novo nome?

E começou aí mais uma batalha judicial, só que, dessa vez, Kamilla levou uma grande vantagem. Lexa sofreu, chorou e achou que era o fim de sua carreira, que acabara de começar. A briga durou apenas um ano. Em janeiro de 2017, a cantora desistiu da batalha. Entrou em acordo com Kamilla, abriu mão de requerer sua marca no Instituto de Marcas e Patentes, pagou um milhão de reais à empresária e finalmente teve seu nome de volta. Não sem antes cumprir outra exigência: pedir desculpas públicas a Kamilla.

Em abril de 2016, já depois do rompimento entre Lexa e Kamilla, Anitta estreou no *Música Boa*, programa semanal no Multishow. Ciente de que a rival havia finalmente se afastado da K2L, Anitta topou recebê-la. No camarim, a verdade veio à tona. Elas bateram informações que coincidiam exatamente sobre a maneira como a empresária manipulou as duas. E a verdade era chocante.

Anitta e Lexa frequentavam a mesma psicóloga, com consultório no Downtown, um shopping na Barra da Tijuca. E, vez por outra, ambas perceberam que as informações reveladas no divã iam parar nos ouvidos de Kamilla.

A empresária também vivia reclamando do peso das duas. Por isso, elas frequentavam o mesmo médico, indicado por Kamilla. Atenta, Anitta sempre pediu para que não fizessem uso de nenhuma substância que pudesse alterar seus hormônios e, principalmente, sua voz. Mas foi um personal trainer de Anitta que a alertou ao ver a receita médica: ela estava tomando bomba mesmo sem saber. E Lexa passou pela mesma situação.

Kamilla também escolheu tanto para Anitta quanto para Lexa a mesma *stylist*, que ouvia tudo e se fazia de amiga das duas. Pelas costas, no entanto, a estilista passava informações para a empresária.

Lexa e Anitta também concluíram que Kamilla sempre usou a mesma tática na hora de assinar os contratos. É o tal do "assina rápido", para não dar tempo de ler as entrelinhas, onde, na maioria das vezes, estavam escondidas as pegadinhas que iriam prejudicá-las.

Daquele encontro no camarim do *Música Boa* não saiu uma amizade, apenas um convívio cordial.

E, já livre das amarras da K2L, Lexa finalmente encontrou a própria identidade, sem ter mais que fazer o papel de sombra da Anitta. Sua carreira, então, decolou.

Por falar na K2L, enquanto era a grande estrela do local, Anitta tinha alguns acessos, digamos, nada convencionais ao escritório. Com alguns aliados importantes dentro da empresa, ela conseguiu, por exemplo, visualizar remotamente as imagens das câmeras instaladas no local. E viu cada coisa... Uma vez, assistiu à chegada de diversas caixas de produtos enviados por empresas que a patrocinavam. Tudo endereçado a ela. Boquiaberta, viu as caixas sendo abertas e vários funcionários fazendo a festa, pegando itens lá de dentro. Depois da farra, as caixas foram lacradas novamente e, só então, enviadas para a artista. Não que ela precisasse realmente daquilo. Pelo contrário. Certamente iria distribuir os produtos, como sempre fez. Mas a baixaria generalizada era reflexo dos maus exemplos que vinham de cima.

E, se tudo que é bom dura pouco, o que é ruim dura menos ainda. Durante os quatro anos de briga na Justiça, o poder de Kamilla ruiu por completo. Antes apontada como a "criadora de estrelas pop número um do país", a empresária viu sua ex-pupila crescer cada vez mais sem nenhum escritório por trás. Aliás, Anitta fazia questão de frisar a todo momento que era autônoma, mesmo que muita gente a ajudasse. Mas era essa a mensagem que ela queria passar ao mundo: Kamilla não fora responsável pelo seu sucesso.

A reboque da perda de poder chegou também a queda na credibilidade. E, por fim, o dinheiro sumiu. A ponto de Kamilla ter que alugar o espaço onde funcionava a K2L para a gigante KondZilla, em 2018. O lugar estava caindo aos pedaços. Nem a limpeza era mais feita regularmente. Para se ter uma ideia, um dos ambientes exalava um mau cheiro tão forte que ninguém conseguia entrar ali sem máscara. Sabe o que tinha lá? Um gambá morto dentro de um armário — estranhamente, o mesmo em que ficava guardado todo o material referente ao processo envolvendo Anitta.

Na época em que o processo finalmente chegou ao fim, Kamilla agenciava a desconhecida Lari, uma funkeira que por triste coincidência também se chama Larissa, a 3030, uma banda de rap bem-sucedida, e Rebeca, outra tentativa frustrada de imitar Anitta.

Ao longo de toda a briga judicial, Anitta usou uma tática meio kamikaze para roubar a atenção da mídia e minimizar as notícias favoráveis a Kamilla: fazia vazar casos amorosos que repercutiam muito mais do que qualquer decisão judicial. Ela sabia que a imprensa e os fãs tinham absoluta curiosidade por qualquer coisa referente a sua vida pessoal. E, como boa estrategista, usou isso a seu favor, sem jamais prejudicar outra pessoa.

Em junho de 2017, por exemplo, a Justiça determinou o bloqueio de 2,8 milhões de reais das contas de Anitta. Uma derrota daquelas que doem. Mas a cantora tinha uma carta na manga. De uma hora para outra, os sites e portais de notícia trocaram a manchete do revés no processo por outra bem mais impactante para seus fãs: a artista estaria dando uns pegas no apresentador André Marques, já todo gostoso e saradão depois da cirurgia de estômago. A notícia bombou, jogando a anterior para o limbo.

Aliás, no mesmo limbo em que estava Kamilla. Praticamente falida, endividada e com a imagem como empresária ferida de morte, ela se viu obrigada a "vender" parte do processo contra Anitta a um escritório de advocacia para tentar sobreviver. Aí estava o início de um possível acordo. Afinal, o que Anitta menos queria na vida é que Kamilla, no fim da história, ficasse milionária às suas custas. Com essa possibilidade fora de cogitação, Anitta finalmente cedeu.

"VOCÊ PRECISA SE LIVRAR DESSE CARMA."

21 de julho de 2018. Anitta pega o celular e decide mandar uma mensagem via WhatsApp para a sua maior inimiga, aquela que havia tirado seu sono, seu dinheiro e até mesmo suas músicas. A pessoa que, sozinha, foi responsável pela maioria das suas tristezas nos últimos quatro anos. E olha que a vida da cantora tinha tido vários percalços, inclusive uma separação.

Não foi nada fácil tomar essa atitude. Mesmo para quem costuma praticar a nobre arte do perdão, às vezes é complicado ceder. Mas Anitta tinha suas razões. Depois de quatro anos acumulando derrotas judiciais, vendo sua ex-empresária ganhar notoriedade apenas por criticá-la e torcer contra ela, a cantora teve acesso a algumas informações sigilosas do processo e concluiu que não tinha nenhuma perspectiva de vitória na Justiça.

Era hora de virar o jogo.

"Oi, Kamilla, aqui é Larissa [Anitta]."

Foi exatamente dessa maneira que Anitta se identificou, como se Kamilla não soubesse quem é Larissa.

"Então, Kamilla, eu tenho uma história muito mal resolvida na minha vida, que é a nossa situação. Alguns fatos aconteceram comigo que me fizeram vir aqui e te pedir para conversarmos. A cada dia tento evoluir como ser humano, e acredito que esse ciclo em nossas vidas precisa se encerrar de uma boa maneira. Quero que você saiba que o que me motiva a vir aqui escrever esta mensagem não tem absolutamente nada a ver com advogados, dinheiro, Justiça ou ganhar e perder. É uma vontade minha de querer que nossas vidas sigam um rumo correto. Caso queira, estarei disponível para nos encontrarmos e nos falarmos."

Kamilla visualizou e não respondeu, deixando Anitta mais ansiosa do que adolescente que mandou mensagem pro crush.

A verdade é que a empresária estava pasma. Parecia não acreditar. Por diversas vezes, nos dias seguintes, Anitta recebeu ligações de WhatsApp do celular de Kamilla, mas rapidamente a chamada era abortada. Quem nunca apertou sem querer o botão de ligação no Zap enquanto lia uma mensagem pela milésima vez que atire a primeira pedra...

Na real? Kamilla estava bolada. Afinal, por que, quatro anos após uma sucessão infinita de ataques em uma guerra dura, Anitta decidira, enfim, entregar os pontos? Além de toda a análise que a cantora havia feito, que a levou a perceber que era inútil continuar brigando na Justiça, outros fatores a empurraram nessa direção.

Então, esta é uma história longa, cheia de idas e vindas e com muitos personagens interessantes.

Vamos a ela.

Uma das principais razões para que Anitta tomasse a atitude de procurar Kamilla Fialho e colocar fim a uma das mais famosas brigas judiciais no Brasil entre artistas e seus antigos empresários tem nome e sobrenome: José Álvaro Osorio Balvin. Ou simplesmente J Balvin, o cantor colombiano que é um dos artistas mais badalados do cenário do *reggaeton* latino-americano.

Anitta parece muito senhora de si, parece falar tudo o que pensa na cara das pessoas — principalmente as que trabalham para ela. Mas isso é só fachada. É pura impressão. Anitta normalmente guarda tudo para si, como se estivesse planejando um contra-ataque. Ela adquiriu esse comportamento durante o tempo em que ficou na K2L, especialmente nos meses finais do contrato, quanto descobriu que estava cercada por lobos em pele de cordeiro.

A partir de então, passou a tratar a todos como potenciais inimigos, a não confiar em quase ninguém.

Mas, afinal, o que J Balvin tem a ver com o acordo entre Anitta e Kamilla? Vamos por partes. Anitta sempre usou uma mesma tática para chegar aos grandes nomes da música mundial: a famosa cara de pau. Do nada, chamava a figura famosa nos *directs* do Instagram, se apresentando e sugerindo parcerias. Assim conseguiu, por exemplo, seu primeiro *feat* com Maluma. Também com essa tática, se aproximou do diretor e designer de moda Jeremy Scott, da badaladíssima marca Moschino, e do próprio J Balvin, de quem a cantora ficou amiga.

A parceria com Maluma abriu as portas para diversos outros encontros profissionais. Um desses foi com o empresário John Shahidi, dono da Shots Studios, responsável por gerenciar a carreira de nomes como Alesso, Rudy Mancuso e da apresentadora do *The Voice México* Lele Pons, que, aliás, só conseguiu emplacar esse *job* graças à força da cantora brasileira. Quando foi chamada para assumir uma das cadeiras do reality musical, Anitta construiu uma ponte para que John Shahidi apresentasse Lele Pons como apresentadora do programa.

Mas John Shahidi botou Anitta na cara do gol diversas vezes, também. Foi por intermédio dele que a brasileira se enturmou com a nata jovem da música mundial. No entanto, três meses após começarem a trabalhar juntos, Anitta começou a perceber que a relação com o *manager* estava ficando estranha.

Se era quinta-feira ou não é o de menos. O fato é que rolou um #TBT horrível na cabeça da artista. Toda a história de terror que ela vivera na K2L voltou com força total à sua mente. Será que ela estava fadada a ter problemas com empresários pelo resto da vida?

Quer uns exemplos de atitudes dele que deixavam Anitta com a pulga atrás da orelha?

Certa vez, a cantora estava em Nova York para compromissos profissionais que dependiam da presença de John Shahidi. O sujeito não aparecia nunca, até que chegou uma mensagem informando que o voo que o levaria até Manhattan estava muito atrasado e que ele não sabia nem se conseguiria chegar. Anitta passava por problemas pessoais complicados naquele momento, devido a mentiras e assédio moral no casamento com Thiago Magalhães. Então ela aproveitou o atraso de John e saiu para espairecer a cabeça. Perto do estúdio onde iriam gravar havia um rinque de patinação no gelo, e a artista passou um bom tempo deslizando sobre a pista de água congelada.

Dias depois, numa conversa com Renan, irmão da cantora, o empresário conta outra história. Diz que Anitta estava muito cansada e que, por isso, desmarcou o estúdio e mandou ela ir patinar.

Parece uma bobagem, mas gato escaldado tem medo de água fria. E os irmãos perceberam, ali, que alguma coisa estava errada.

Em outras situações, ele tirava onda de poderoso chefão do *showbiz* americano. E deixava claro, nas entrelinhas, que, se as coisas não fossem feitas do jeito dele, Anitta seria muito prejudicada, saindo queimada com Deus e o mundo. Era exatamente assim que Kamilla fazia...

Sabe o clipe de "Indecente"? Aquele que foi transmitido ao vivo da casa de Anitta durante a festa de aniversário dela? Então. Ela não queria fazer daquele jeito, mas acabou meio que obrigada — e se sentiu abandonada pelo empresário nesse episódio.

O que aconteceu foi que a cantora queria gravar um *feat* com um artista latino da Universal Music — arqui-inimiga da Warner, gravadora da artista brasileira. Para aceitar a proposta, a companhia fez uma leve chantagem e exigiu que Anitta lançasse também um clipe solo em espanhol. Como não havia tempo hábil para uma produção completa, surgiu a ideia de fazer uma *live* no YouTube. O resultado todo mundo conhece: foi um sufoco, com um monte de problemas na hora H, e um clipe meia boca.

Enfim, etapa cumprida e agora era a hora de finalmente fazer o tal *feat* com o artista da Universal. E nada...

Por conta da má vontade de John, demorou séculos para a parceria acontecer. E só rolou depois que Anitta praticamente chorou sangue no escritório da Warner, em Nova York.

"Medicina" é outro belo exemplo de algo que Anitta não queria, em que não acreditava, mas fez porque recebeu ordens da Warner Mundo, com a habitual interferência de John. Foi o clipe mais caro de sua carreira, todo pago pela gravadora, e até fez algum barulho no mercado latino. Mas faltou o que move Anitta: o tesão.

Por conta disso, John Shahidi andou colecionando inimigos depois que começou a gerenciar a carreira de Anitta.

Um dos mais emblemáticos foi Pedro Tourinho, dono da agência PR Soko e um dos grandes responsáveis por apresentar Anitta ao riquíssimo mercado publicitário brasileiro.

Tourinho conheceu a cantora no início de 2014 e jura que ficou encantado com ela já naquela época. Mas a história não foi bem assim. Anitta ainda estava muito ligada ao funk e ao subúrbio. Estigmatizada num estereótipo pouco atraente para o mercado publicitário. Aí vieram as plásticas, os banhos de loja… Mas foi graças a "Bang" que Tourinho passou a ver cifras em Anitta.

Na época, a cantora já estava associada a Marina Morena, filha de criação de Gilberto Gil, e Amanda Gomes. Elas cuidavam da relação de Anitta com o mercado publicitário e enxergaram uma ótima oportunidade em "Bang", que se tornou, de fato, uma ação de marketing da marca Niely. Nas reuniões, a cantora também assumiu um papel importante, aceitando receber um valor bem baixo no início da parceria desde que o contrato fosse turbinado caso os resultados fossem bons para a Niely. O que, obviamente, aconteceu.

Mesmo assim, fazer "Bang" não foi nada fácil. Dirigido pelo estrelado Giovanni Bianco, que já havia trabalhado com Madonna e Ivete Sangalo, o clipe custou trezentos mil reais, sem contar os mais noventa mil só em fotos de divulgação. Mas o investimento valeu cada centavo. Na época, todos da equipe foram contra Anitta gastar esse valor tão alto. Ela bateu o pé. E, mais uma vez, estava certa.

Por falar em clipes, a grande maioria dos vídeos da carreira da cantora foram pagos pela própria Anitta. Só a partir de "Deixa Ele Sofrer" surgiram os primeiros patrocínios. Nesse caso, foi a Tang, marca de refrescos em pó. Logo em seguida, a artista assinou seu primeiro contrato publicitário, com a Niely, marca de produtos para cabelos voltada para a classe C.

Mas nada se compara ao que aconteceu depois de "Bang". Nada. Até hoje. Nem mesmo "Vai Malandra".

"Bang" tornou Anitta moderna, *cool*, desejável e, principalmente, vendável. "Vai Malandra" serviu para lembrar ao mundo de onde ela veio, e, como a favela é a principal imagem do Brasil no exterior, nada melhor do que dizer que Anitta veio de lá. Mesmo que Honório Gurgel esteja bem longe de ser uma favela.

Ao perceber o potencial de Anitta após a explosão de "Bang", Pedro Tourinho tratou de fazer sua parte. Se associou a Marina Morena e Amanda Gomes e, com a cantora a tiracolo, foi bater na porta de empresários ávidos para conquistar as cifras dos jovens brasileiros.

E, se Anitta é boa no palco, é muito melhor numa mesa de negociações. Ela tem um dom incrível para isso. Tanto que, após assinar os contratos, passava seu número pessoal aos empresários e marqueteiros para poder acompanhar passo a passo o desempenho da campanha. Se a empresa não tivesse lucro com ela, estava disposta a começar do zero e refazer tudo. O negócio tinha que ser bom para todo mundo.

Aliás, um parênteses. Certa vez, ainda na época em que estava na K2L, ela foi a uma reunião com Kamilla na Coca-Cola Clothing, marca de roupas da gigante das bebidas. Lá pelas tantas, Anitta percebeu que a empresária estava armando alguma coisa. Estava ficando claro que a ideia era passar a perna na Coca-Cola. De supetão, a cantora encerrou a reunião e foi embora. Mas pediu a seu irmão, Renan, que voltasse para conversar com os diretores da multinacional, prometendo que haveria outras oportunidades. Dito e feito. Sem a interferência de Kamilla, foi fechado um belo contrato que beneficiou as duas partes igualmente.

Voltando a Tourinho.

A parceria entre ele e Anitta era explosiva. Em pouco tempo, o publicitário conseguiu transformar a funkeira suburbana brega na jovem mais falada, estilosa e desejada do país.

Ao se associar a Marina Morena e Amanda Gomes, o publicitário enxergou milhões de oportunidades para a cantora. Inclusive com a própria família de Marina, que, de uma hora para outra, passou a receber Anitta de braços abertos. Nem Preta Gil tinha conseguido essa proeza até então.

Família, nesse caso, num sentido bem mais amplo, incluindo também Caetano Veloso, Paula Lavigne, Chico Buarque e a nata da elite cultural brasileira. Anitta foi prontamente adotada por todos, como se fosse parte de uma "cota popular" que normalmente circula nesses grupos. Não à toa, foi uma das principais atrações da abertura das Olimpíadas do Rio, em 2016.

Em relação aos negócios, Tourinho foi realmente agressivo. Ele conseguiu fechar os cinco maiores contratos publicitários da carreira de Anitta, de quatro milhões ao ano cada um, com a Claro, a Boticário, a Renault, o Itaú e a Ambev (Skol). Fez as contas? Só aí, são vinte milhões de reais por ano... Fora os contratos pequenos, inclusive alguns que Anitta mantém por consideração e justiça, como é o caso da própria Niely, marca que acreditou nela antes de explodir.

Astuto como poucos, o empresário criou uma divisão para cuidar da imagem de Anitta exclusivamente na internet, onde ela reina absoluta. Seu contrato com a C&A, por exemplo, saiu desse segmento.

O curioso na vida financeira de Anitta é que ela faz o dinheiro girar. Ela pega o dinheiro da publicidade e reinveste na carreira. De bens, jura que só comprou uma casa no badaladíssimo condomínio Mansões, na Barra, e um carro. A ambição dela não é financeira, mas Anitta quer ser a maior artista da história deste país. Agora, uma coisa é certa: a cantora não fez fortuna com a sua música, mas sim com a sua marca. Em 2019, ela era, sem dúvida, a personalidade mais cara no Brasil, mas seus shows não custavam mais do que duzentos mil reais — uma bagatela, se comparado aos quinhentos mil cobrados por dezenas de sertanejos por aí.

E onde entra John Shahidi nessa história toda?

Percebendo que Anitta estava desbravando uma carreira no exterior, a Netflix, por intermédio de Pedro Tourinho, propôs então um reality show com a cantora. O publicitário é o representante oficial da Netflix no Brasil, além de ser agente de vários atores da novíssima geração, como Chay Suede e Marco Pigossi.

Resumo: Tourinho estaria à frente do *Vai Anitta*, um projeto original da Netflix, até que John Shahidi surgiu e passou o agente para trás, com uma série de fofocas e intrigas dentro da produtora audiovisual que quase arruinou a relação da gigante do *streaming* com o empresário brasileiro. Irritado, ele pulou fora do reality e avisou para Anitta que estava fazendo isso exclusivamente por causa de seu agente internacional.

Por pouco — e pelo jogo de cintura de ambas as partes — a relação entre a cantora e o publicitário não azedou.

John Shahidi também fez das suas em outras frentes. Por exemplo, abriu todas as planilhas de custos e faturamentos de Anitta para alguns funcionários da equipe da cantora. Gente que nunca deveria ter acesso a esses números.

Com tantas saias justas, Anitta soou o sinal de alerta. Tinha medo de estar lidando com a versão estrangeira de Kamilla Fialho. Mesmo sendo muito mais poderosa do que na época em que era agenciada pela K2L, a artista ainda não se sentia capaz de bater de frente com aquele que considerava seu chefe.

Angustiada, procurou J Balvin para uma conversa. O colombiano havia se tornado quase um irmão para ela, uma das pessoas em quem ela mais confiava no mundo. E tome desabafo, com riqueza de detalhes. Balvin ouviu, ouviu, ouviu e... tomou uma atitude surpreendente, sem sequer consultar Anitta. Bateu tudo para o próprio John Shahidi.

Há?

Foi um choque. Anitta se sentiu traída, ultrajada. Todos os seus segredos foram revelados, tudo o que ela pensava sobre seu *manager*, as críticas, as dúvidas... Como ele teve a cara de pau de contar tudo para o próprio John?

No dia seguinte, o empresário mandou uma mensagem para Anitta:

"Por que você teve um *secret meeting* com J Balvin?"

A primeira reação da cantora foi explodir com o colombiano, numa DR via WhatsApp. Sem perder a compostura, J Balvin deu a ela uma lição fundamental para a vida e, principalmente, para a carreira: John Shahidi trabalha para ela, e não o contrário.

"Você é a chefe, mas age como se fosse a empregada."

Anitta entendeu o recado e atacou:

"*Secret*? Eu não posso fazer um *meeting* com quem quiser? Eu sou a dona dos meus negócios e faço *meeting* com quem quiser."

"Não, não quis dizer isso, quis dizer que a gente não sabia", respondeu John.

"Mas eu preciso falar tudo pra você? Se eu for transar com alguém? For pegar alguém? Acho que não, né? Aliás, Johnny, deixa eu te contar umas coisas."

E aí começou uma bela lavação de roupa suja internacional, no melhor estilo Honório Gurgel, com um toque colombiano.

Essa conversa foi decisiva na vida de Anitta. Desde então, John Shahidi mudou, e a relação deles ficou clara e objetiva, como tem que ser. Os dois admitiram seus erros, entenderam as dificuldades um do outro e recomeçaram praticamente do zero, em um modelo que, segundo a própria cantora, ficou incrível.

De repente, Anitta percebeu que isso deveria ter sido feito com Kamilla Fialho. Ela nunca havia se colocado como chefe naquela história e aceitava tudo como se fosse normal.

Então, finalmente voltamos a julho de 2018, agora entendendo por que Anitta estava tão decidida e tão dona de si.

Quando finalmente respondeu à mensagem de Anitta no WhatsApp, Kamilla ainda estava reticente. Então, depois de algumas poucas palavras frias, as duas combinaram de se encontrar para fazer o acordo final. Kamilla escolheu um lugar estranhíssimo para esse tipo de reunião: a casa de um amigo, em um bairro bem distante, para que ninguém as visse. Parecia roteiro de filme de terror. Mas Anitta não teve medo. Levou apenas o irmão, Renan, e um escapulário na mão.

Vai que, né?

Kamilla logo começou um mimimi sobre sua situação financeira, dizendo que estava tão dura que quase não conseguiu pagar o Uber para ir ao encontro. Isso não comoveu Anitta. Até porque ela comparou a atual situação da ex-empresária com a de Raphael e Juliana, antigos sócios de Kamilla, que acabaram rompendo a parceria dois anos após o início da briga judicial com a cantora. Os dois continuaram no *showbiz*, inclusive emplacando uma banda pop, a Melim, de grande sucesso entre os jovens. Por isso, para Anitta, a derrocada financeira de Kamilla não teve nada a ver com a sua saída do escritório.

A conversa entre as duas foi assim:

Kamilla: Bom, agora você enxerga, né?

Anitta: Kamilla, eu não vim aqui porque eu acho que estou errada, não. Eu continuo achando tudo o que achava.

Kamilla: Você acha mesmo que eu fiz tudo aquilo que você disse que eu fiz?

Anitta: Eu acho muitas coisas, mas, se você fosse do tipo que escuta os seus defeitos e os seus erros, você estaria em outro patamar hoje. O que eu acho ou o que eu não acho, a minha opinião é indiferente. Eu vim aqui resolver o meu problema, que foi a atitude errada de não conseguir te enfrentar. Mas eu quero que você saiba que eu não fiz isso por medo, pois se você acha que controla as pessoas por medo... enfim, eu só tô aqui para resolver uma coisa minha.

Kamilla: Você acabou com a minha vida, minha palavra não tem mais credibilidade.

Anitta: Sua palavra não tem mais credibilidade porque você não trabalhou mais para isso, mesmo depois de tanto tempo. Me desculpa, Kamilla, mas o Brahma era tão meu empresário quanto você. Ou melhor, ele viajava comigo, coisa que você nunca fez. E hoje ele tá aí com a Melim. Não dá para você vir falar que a sua vida continua prejudicada por minha causa. Você precisa se livrar desse carma. A sua vida não tem como estar prejudicada por mim depois de cinco anos. Você teve tempo pra refazer a sua vida — e, se não tivesse tido, o Brahma também não teria, eu também não teria. Então você continua presa a esses pensamentos. E não sou eu que vou poder te ensinar.

A conversa olho no olho chegou ao fim. A partir dali, os advogados é que tratariam dos números. E tudo aquilo deveria ser mantido em segredo absoluto.

No dia 12 de setembro de 2018, Kamilla e Anitta assinaram, finalmente, o acordo encerrando a briga judicial. A cantora pagou nove milhões de reais, que foram divididos entre Kamilla, Raphael e Juliana. Fora o valor que já havia sido depositado em juízo. Ao todo, Anitta assinou 14 cheques administrativos, colocando um ponto-final naquela batalha que ocupou a maior parte de sua carreira.

Entre os termos do acordo, havia uma cláusula fundamental: todas as músicas de Anitta que Kamilla registrou em sua editora voltariam a ser exclusivamente da cantora. Inclusive seu maior e mais emblemático sucesso: "Show das Poderosas."

NÃO É SORTE, É FÉ

Depois do fim da guerra judicial com Kamilla, teve gente próxima a Anitta que comentou, desavisadamente: "Que sorte."

Pra quê?

Se alguém quer irritar Anitta em uma única frase, é só dizer algo como: "Nossa, como você teve sorte na vida."

O humor dela vai no pé.

Sorte é ganhar na Mega-Sena.

Dormir quatro horas por dia, muitas vezes dentro de um avião indo do local de um show para outro, gerir a carreira mais bem-sucedida na junção marketing-música-propaganda do Brasil, administrar uma empresa com dezenas de funcionários, gerenciar riscos e crises e ainda levar com bom humor a crítica feroz de milhares de *haters* não pode ser sorte. Definitivamente.

Anitta sabe que seu sucesso se deve a uma conjunção de fatores. Desde cedo entendeu que as conquistas, como diz Silvio Santos em um vídeo famoso na internet, são 10% inspiração e 90% transpiração. Ou seja: muito trabalho. Mas também acredita que existe algo maior por trás de tudo isso, caso contrário não adiantaria nada ser brilhante nem *workaholic*.

E esse "algo maior" é Deus.

Este é um lado de Anitta a que pouquíssimas pessoas têm acesso. Sua relação com a religião é extremamente íntima. Tanto que ela não fala sobre isso em público, apesar de ter uma fé inabalável.

Nascida e criada em uma família católica apostólica romana, em que Pedro Júlio e Gloriete, seus avós maternos, e Miriam, sua mãe, ditavam as regras sobre o comportamento religioso, Anitta frequentou a igreja desde criança, foi batizada e fez a primeira comunhão como manda o figurino. Foi na igreja, aliás, que ela teve seu talento para a música descoberto, quando ia cantar ao lado do avô nas missas e celebrações.

Nada muito diferente do que acontece com a maioria da população brasileira, que é majoritariamente cristã (87%), sendo a maior parte católico romana (64,4%). Herança da colonização portuguesa.

Mas maioria não é totalidade...

O Brasil tem outras influências religiosas fortíssimas, também trazidas por povos que vieram para o país séculos atrás. Entre elas, as religiões de matrizes africanas.

Quando tinha sete anos, Anitta foi apresentada ao candomblé por influência de seu pai, Mauro, e seu irmão, Renan, que aos nove anos já estava mergulhado de cabeça na religião. Miriam não gostou nada daquela novidade. Ver seus filhos envolvidos com o candomblé não fazia sentido algum na cabeça dela. Mas, paradoxalmente, seus valores cristãos falaram mais alto e ela respeitou a escolha deles. Ainda mais porque era uma oportunidade e tanto de eles se aproximarem do pai, depois da traumática separação.

Os primeiros passos de Anitta no candomblé foram no terreiro de Pai Sérgio, um babalorixá de 58 anos, que fica na região metropolitana do Rio. O local, muito discreto, acabou se tornando um refúgio para a cantora, especialmente nos momentos de maior estresse físico e mental.

No início, Anitta não dava muito valor à religião, bem diferente de seu pai, o primeiro da família a frequentar o terreiro de Pai Sérgio, e de Renan. Na religião, há uma hierarquia natural, em que os membros vão crescendo conforme a dedicação. Mauro já é considerado pai de santo. Renan é filho de santo.

Mas Anitta não precisou fazer parte dessa hierarquia. Ela foi "abençoada". Funciona assim: no candomblé, existem as chamadas Ekedi, que são como zeladoras dos orixás e têm posição privilegiada no terreiro. E isso é herdado, como um dom, a pessoa nasce assim. E, desde seu primeiro jogo, Pai Sérgio identificou Anitta como uma Ekedi, um ser elevado e especial.

Não que isso fizesse muita diferença para ela. Na adolescência, Anitta continuou não dando muita bola para aquele papo esotérico. Queria curtir a vida, ouvir funk e sonhar com a carreira de cantora, que começava a despontar.

A indiferença de Anitta mudou quando ela passou por uma das maiores crises financeiras de sua vida. Após ser colocada na "geladeira" na Furacão por declarar seu apoio a Batutinha, o pai estava desempregado e a mãe ainda costurava bolsinhas que valiam centavos. A quem apelar? Só restava mesmo a religião. E o que parecia impossível aconteceu. Mesmo boicotada, ela emplacou dois hits: "Menina Má" e "Meiga e Abusada". Ela entendeu perfeitamente o sinal e, desde então, passou a seguir fielmente seus dogmas.

A relação de Pai Sérgio com Anitta se tornou muito estreita, e eles se falam frequentemente. Ele é um grande confidente, ombro amigo e orientador.

Pai Sérgio também é um dos primeiros a ouvir um desabafo sobre qualquer problema, seja profissional ou pessoal. Anitta confia tanto nele como amigo que pede orientação sobre quase tudo em sua vida. Na maior parte das vezes, nem se trata de uma consulta espiritual, mas sim da certeza de que ele quer seu bem.

A relação entre os dois é de extrema confiança. Tanto que, hoje em dia, quando Anitta vai ao terreiro, só ficam lá as pessoas que têm relação direta com o lugar. Tudo para dar privacidade e tranquilidade à cantora, que, lá, não se parece em nada com a superstar que aparece nos clipes e programas de TV. Durante o tempo em que fica imersa em sua experiência religiosa, Anitta é vista descalça, de roupas brancas, fazendo atividades comuns do local, como lavar o banheiro, varrer o chão e cuidar da mesa de refeições. No terreiro, tem contato permanente com a vida simples de que tanto gosta — e que faz tão bem a ela.

Tanto que nem dá trela quando ouve maldades insinuando que ela fez um "pacto" que duraria sete anos. Sabe que é tudo baboseira.

Anitta segue, sim, as indicações de Pai Sérgio. Em sua estreia no Carnaval de Salvador, em 2015, todas as peças de seu vestuário foram pensadas no terreiro. Desde as cores (tons de azul) até os adereços (com penas).

O casamento frustrado de Anitta com Thiago Magalhães não aconteceu na Amazônia por acaso. Os orixás do candomblé representam as forças da natureza: Oxóssi reina a mata; Oxum, as águas doces; Ossãe, as folhas; Iemanjá, as águas salgadas; Nanã, o mangue; Xangô, as pedreiras; Iansã, o bambuzal — e por aí vai... Discretamente, sem alarde, mas com inúmeros simbolismos, Anitta exalta a sua religião e a sua fé.

Com a agenda superdisputada, não é muito fácil encontrar um tempo para ir ao terreiro. Mas, quando vai, Anitta se entrega totalmente. Ela sabe, por exemplo, que em junho precisa reservar alguns dias para o centro. É o mês de Oxóssi, orixá da casa. Então, ela precisa organizar, junto com as outras Ekedis, as festividades e cerimônias dedicadas a ele.

Com a ajuda de Pai Sérgio, Anitta costuma avaliar todas as pessoas que entram em sua vida. Ela sempre joga para saber o que cada um representa de verdade. E, mesmo que depois ela venha a se decepcionar, a religião explica que até a queda tem seu valor. Tudo é experiência...

Anitta, na verdade, arruma um jeito de testar e avaliar todos que estão próximo a ela. Depois do que viveu com Kamilla Fialho, ficou escaldada. Além dos orixás, ela também tem informantes de carne e osso. Uma rede enorme, aliás. Seus fãs, formados em sua grande maioria por garotos e garotas de 15 a 24 anos, fuçam a vida de quem quer que seja para ajudar a cantora. Vários deles têm, inclusive, o WhatsApp de Anitta e a alimentam em tempo real com informações quentíssimas. Na época em que namorava Tuka Carvalho, seu celular não parava de apitar com gente contando o que o rapaz estava fazendo, onde estava circulando, com quem estava conversando...

O certo é que Anitta se tornou uma pessoa desconfiada. E procura se certificar de que ninguém está passando a perna nela. Às vezes, precisa usar de recursos e artimanhas dignas dos melhores filmes de espionagem. Ou de personagens ardilosos como Tyrion Lannister, o espertíssimo anão da série *Game of Thrones*. Certa vez, uma amiga de longa data foi reprovada num desses testes. A cantora começou a reparar que assuntos tratados de maneira privada acabavam chegando à imprensa. Ficou irritada e bolou um plano infalível. Para cada um dos suspeitos de estar vazando informações, ela contou uma historinha diferente. No dia seguinte, foi fácil descobrir a traidora. E a amizade acabou na hora.

O orixá de Anitta é Logunedé, filho de Oxóssi e Oxum, considerado um dos mais belos do panteão africano. Isso explica muito sobre sua personalidade. De Oxum, ela herdou o jeito meigo e suave, a graça e a sutileza; de Oxóssi, a felicidade e o espírito caçador, além da malícia e da determinação.

Logunedé apresenta características e expressões femininas e masculinas, mas é sempre uma figura ligada à juventude. Ele é considerado um exímio caçador e sabe usar a paciência e a sabedoria para alcançar o que deseja. Sua beleza encanta, arranca suspiros e prende olhares.

Outra característica desse orixá: odeia receber ordens, não gosta de ser mandado, mas sim de decidir, analisar e trazer sempre uma solução. Tudo por conta própria. E, por fim, Logunedé também é um ser desconfiado, que está sempre atento a tudo e a todos para não ser enganado, e valoriza quem está ao seu lado de maneira pura e legítima.

Uma definição muito precisa de Anitta.

Quer ver um exemplo? Todos reconhecem que Jojo Toddynho deve muito de seu sucesso a Anitta. Ela ajudou a divulgar suas primeiras músicas, chamou a divertida funkeira para participar de alguns clipes, como "Vai Malandra", e, com isso, apresentou Jojo à sua enorme massa de fãs nas redes sociais. Mas a razão de tanta mídia tem nome: o empresário Batata. Anitta sabia que, se divulgasse a moça, ajudaria muito a vida dele. Mas a pergunta é: por quê? Por gratidão. Em 2012, quando já fazia certo sucesso no circuito de funk do Rio, a cantora era absolutamente anônima em São Paulo. E foi Batata quem a apresentou aos donos da rádio Transcontinental, uma das mais fortes da capital paulista, e pediu para tocarem suas músicas.

Quem esteve ao seu lado antes da explosão de "Show das Poderosas", aliás, tem a eterna gratidão de Anitta. E colhe bons frutos por isso.

A própria Warner Music, sua gravadora, está nesse pacote. Anitta sabe bem que poderia estar em uma empresa maior e mais forte, conseguindo, inclusive, mais exposição internacional. Mas aí vem novamente a tal da gratidão. Foi a Warner, através de seu presidente Sergio Affonso, que acreditou nela lá atrás, antes de "Show das Poderosas". Tanto que a Universal Music, a maior gravadora do mundo, já fez duas propostas milionárias para a artista, ambas recusadas de pronto. Não é o dinheiro que move Anitta. Ela acha um crime a ingratidão.

E, claro, Anitta também tem benefícios impagáveis nessa relação. Aqui no Brasil, ninguém da gravadora contesta suas decisões. É sério. Quem dita as ordens é ela. Poucos dias antes de gravar o clipe de "Is That For Me", estava tudo certo: o cenário seria a Capadócia, na Turquia. Mas, de repente, começou a dar tudo errado. Muitos impedimentos e entraves. Anitta rapidamente decidiu mudar a locação para a Amazônia. Ela teve essa ideia por conta do discurso de Gisele Bündchen na abertura do Rock in Rio. E lá foram todos da Warner para a floresta.

Quando iniciou de verdade sua carreira internacional, Anitta teve os primeiros percalços na relação com a Warner e percebeu o quanto é ruim ter que obedecer ordens. Se na filial brasileira ela tem carta branca, na matriz americana a banda toca em outro ritmo. Lá, Anitta não manda em absolutamente nada. O primeiro hit internacional, "Downtown", foi fruto de muita, mas muita insistência dela. A Warner Mundo não acreditava na música. Felizmente, deu muito certo.

Já "Medicina"...

O clipe é um exemplo claro de ordem a ser cumprida, uma exigência dos chefes. Apesar das belas imagens, a música é ruim. Anitta pegou ranço e nem se deu ao trabalho de divulgar o vídeo. Resultado: um fracasso retumbante.

Agora, ninguém é ingênuo a ponto de imaginar que a empresa faz isso simplesmente porque Anitta é bonitinha. A Warner fatura muito com ela. E os lucros não se limitam às questões musicais. Se Anitta faz um comercial, 10% do cachê vai para a gravadora, que detém seus direitos de imagem. E o que não faltam hoje são propagandas estreladas pela cantora, vamos combinar.

A gratidão de Anitta também é capaz de mudar vidas. No final de 2011, Regina Lobato, sua assessora na época, a apresentou a Marcella Vinhaes, que trabalhava como *personal stylist* havia três anos. Regina pediu para ela dar uma força à cantora iniciante. Mas sabe aquela velha história de que o "santo bateu"? Foi isso que aconteceu entre Anitta e Marcella. A relação delas era meio inexplicável. A estilista tinha uma situação de vida boa, graças a seus freelancers e ao dinheiro do marido, César, dono de uma loja de artigos para carro. Na época, Anitta já tinha em mente todo o roteiro de sua nova aposta, a música "Menina Má", e queria gravar um clipe que ajudasse a canção a crescer.

Mesmo sem experiência nessa área, a *personal stylist* assumiu a produção do clipe — e fez milagre. Ela praticamente não tinha dinheiro para nada. Anitta queria um ator gato para contracenar com ela. Pensava em Paulo Zulu. Mas Marcella mandou logo a real: com os dois mil reais que elas tinham para cachê, era melhor acordar daquele sonho. Acabou conseguindo contratar o iniciante Fábio Keldani, que tinha um papel inexpressivo na novela *Fina Estampa*.

O cenário foi um ferro velho caindo aos pedaços em um ponto longínquo, próximo à avenida Brasil. Era tudo muito difícil. O figurino era uma mistureba. Tinha roupas de Marcella, de Anitta... tudo na base da amizade. Mas algumas peças precisavam ser feitas. E a estilista tinha solução pra tudo. O resultado todo mundo conhece. "Menina Má" foi um tremendo sucesso e botou Anitta no foco de gente importante no mercado da música.

Marcella continuou a trabalhar com Anitta praticamente "no amor". Na época, a cantora ainda estava na Furacão e não tinha condições financeiras de pagar um salário para a estilista.

Quando finalmente saiu da empresa de Rômulo Costa e fechou com a K2L, Anitta fez uma exigência: contratarem Marcella. O destino, no entanto, é como o coração: tem razões que a própria razão desconhece. O que parecia ser a evolução natural de um trabalho fantástico acabou saindo pela culatra. Kamilla Fialho e Raphael Brahma, os novos empresários de Anitta, detestavam o estilo de Marcella e passaram quase um ano detonando a estilista. Pior: botavam as críticas na conta da cantora.

Mesmo sabendo que era mentira, o prazer de trabalhar estava desaparecendo. Era hora de se afastar da amiga. Marcella, então, pediu demissão e viu, de longe, Anitta brilhar intensamente e dar uma reviravolta na vida, livrando-se de Kamilla.

Em 2015, depois de anos praticamente sem contato com Anitta, Marcella quis levar a filha para ver o espetáculo infantil da antiga chefe, o *Show das Poderosinhas*. Como não tinha o atual telefone da cantora, entrou em contato com ela usando uma rede social, perguntando se podia levar a menina ao camarim depois do show. Imediatamente Anitta pediu à sua produção que conseguisse ingressos VIP para a estilista e, assim que terminou de cantar "Menina Má", dedicou a música à amiga fiel, a primeira pessoa que realmente acreditou nela sem querer nada em troca.

Mas a vida não estava nada fácil para Marcella. Ser *personal stylist* não dá estabilidade nenhuma e, para piorar, César perdera o ponto de sua loja, fazendo a renda da família despencar. O jeito era se virar. De venda de comida caseira a corretor de imóveis, ele fez de tudo um pouco para sustentar a família. Foi então que a famosa Lei do Retorno entrou em ação.

Em agosto de 2018, uma simples postagem no Instagram associando os nomes de Marcella Vinhaes e Anitta foi suficiente para causar uma revolução na vida da estilista. De um dia para o outro, todo mundo queria mais informações sobre aquela mulher que ajudou a cantora no início da carreira com tamanha dedicação.

Empolgada, Marcella quis contar a Anitta o que estava acontecendo. A cantora, claro, sabia de tudo. Até porque ela própria estava por trás da postagem que gerou todo aquele *frisson*. Na conversa, a estilista relatou as dificuldades que estava passando e, imediatamente, o papo informal por WhatsApp acabou ganhando jeito de entrevista de emprego. Alguns dias depois, Marcella começava a trabalhar na Rodamoinho, empresa de Anitta. Dessa vez, recebendo um salário justo e sem a perseguição profissional que sofreu na época da K2L.

Talvez a maior qualidade de Anitta seja esta: ser grata e leal a quem a ajudou. Ela acredita piamente nos orixás que a guiam e sabe que precisa devolver ao mundo, em pequenos gestos, tudo o que a vida lhe deu.

Você pode usar a expressão que quiser. Pode ser a tal Lei do Retorno ou o bom e velho "Aqui se faz, aqui se paga". O importante é que, graças ao candomblé, Anitta sabe exatamente a hora que seu orixá a faz retribuir tudo o que conquistou até hoje. E, principalmente, graças aos ensinamentos da religião, nada impressiona Anitta. O mundo pode ser enorme, mas ela sabe exatamente o valor daquele terreno no meio do nada, na Baixada Fluminense, desvalorizado comercialmente, mas com um valor inestimável em sua vida.

MUY AMIGAS

O meio artístico é cheio de falsianes. Muita gente que se odeia pelas costas vive aos beijinhos na frente dos holofotes. Anitta se vangloria de ser a "sincerona", mas também é boa malandra e sabe muito bem fazer a política da boa vizinhança. Quem a conhece sabe que sua sinceridade vai só até a página dois. É do tipo que, como dizem as avós, dá um boi para não entrar numa briga — e uma boiada para não sair. Agora, ela sabe muito bem as consequências disso. Ao longo da carreira, já se envolveu em uma série de entreveros com outros artistas e celebridades — e até com o público. E, às vezes, saiu bem chamuscada.

Como que para compensar o temperamento forte, Anitta tem uma qualidade ímpar: o perdão. Ela já desculpou gente que a roubou, que vazou para a imprensa informações privadas e, lógico, que se aproveitou da sua fama.

E a inimiga de hoje pode virar uma bela aliada amanhã. O melhor exemplo disso é Carol Sampaio, a promoter. Musa inspiradora de "Show das Poderosas", era a inimiga número um de Kamilla Fialho. Lembra que Kamilla pegou o Falcão enquanto ele namorava Sampaio? Pois bem, bastou Anitta romper com Kamilla para Carol virar sua mais nova amiga de infância. E assim segue o jogo.

Desde a briga com MC Brunninha, no início da carreira, passando pelo bate-boca em rede nacional com a roqueira Pitty e chegando a quiproquós internacionais, como o que envolveu a rapper australiana Iggy Azalea, Anitta já esteve no meio de tantas polêmicas que daria para fazer um livro inteiro só com essas histórias. As mais famosas, no entanto, estão aqui.

Em meio ao sucesso estrondoso de "Show das Poderosas", em 2013, Anitta recebeu um convite quase irrecusável: participar do DVD de Claudia Leitte, que seria gravado no dia 3 de agosto, em Pernambuco. Eufórica com a notícia, Anitta foi dividir a felicidade com Preta Gil, que a apoiara muito no início da carreira. Mas Preta foi direta: "Se você participar do DVD da Claudia, nunca mais você canta com a Ivete."

Como Anitta acreditava em tudo o que a amiga falava e tinha Ivete como referência na música (a ponto de se tremer toda quando se aproximava dela), tratou de desmarcar a participação. Arrasada, ligou para a gravadora e solicitou o cancelamento. Anos depois, Anitta entendeu que tudo não passava de um jogo, e que ela havia caído como um pato. Então pediu desculpas a Claudia e, a partir daí, as duas se tornaram muito próximas.

Ainda em 2013, dois meses depois do episódio com Claudinha Leitte, foi a vez de Preta gravar um DVD. Ivete e Anitta participaram. Em determinado momento, a baiana chamou a funkeira num canto para uma conversa a sós. Ivete disse que queria convidá-la pro seu próximo DVD. Anitta parecia não acreditar no que estava ouvindo. Um sonho. Porém...

"Tem um problema: a outra (Claudia) te chamou e você não foi... Você vai no Faustão?" Ivete referia-se ao prêmio Melhores do Ano. Anitta respondeu que sim. "Então, eu tive uma ideia: e se eu ficasse sem saída? Você poderia dizer que é minha fã, que sonha em gravar comigo, e eu aceito ao vivo. Que tal?"

Anitta parou, pensou e entendeu rapidamente qual seria o papel de cada uma nessa história. Ela seria a "sem noção", a "maluca", enquanto Ivete seria a pessoa que fez uma boa ação ao vivo. A vontade de ligar o modo "sincerona" foi enorme, mas Anitta conseguiu se controlar e apenas recusou educadamente. Resultado: não fez nem o DVD da Claudia nem o da Ivete. E saiu queimada das duas histórias.

O fato de Preta Gil estar envolvida nos dois episódios não é coincidência. Ela e Anitta sempre foram muito próximas. E nunca foi segredo para ninguém que a relação das duas era baseada em interesse.

Mas, se no início da carreira era tranquilo para Anitta passar por cima de determinadas situações, com o passar dos anos — e com o crescimento de sua fama — as coisas ficaram bem diferentes. Lá por volta de 2012 e 2013, ela era apenas uma promessa do funk carioca, enquanto Preta já era sucesso nacional. Em 2018, o jogo havia virado. A carreira da filha de Gilberto Gil continuava estacionada no mesmo ponto, enquanto Anitta havia se tornado O NOME do *showbiz* brasileiro, com uma sólida carreira internacional e ainda muito chão pela frente.

Tanto que havia chegado a vez de a própria Anitta ajudar artistas iniciantes. E foi justamente por conta de duas dessas "pupilas" que se deu a maior briga entre Anitta e Preta.

Tudo começou quando Jojo Toddynho saiu para tomar todas com Gominho, o divertido apresentador de TV e rádio que caiu nas graças das celebridades. O ano era 2018, e o assunto preferido do mundo dos famosos, claro, era Anitta. Em determinado momento da noite, Jojo ficou sem bateria no celular e precisou pegar o telefone de Gominho emprestado. Pra quê? De cara, ela viu inúmeras notificações de um grupo no WhatsApp em que estão Preta Gil e Pabllo Vittar. Naturalmente, falavam de Anitta. Mal, é claro. Tudo era motivo de crítica. Nem mesmo o cachorro escapava dos comentários ácidos.

Jojo ficou chocada e, claro, contou tudo para a tutora, fazendo azedar de vez a relação de Anitta com o trio. Gominho, por exemplo, só fala com a cantora por educação. No início de 2019, ele usou suas redes sociais para comentar o caso: "Se eu a vejo na rua, eu falo oi. E é isso. Não tenho mais a falar sobre esse assunto. A Jojo inventou a história toda, que é mentira. Acredita quem quiser acreditar. Se ela (Anitta) quiser acreditar, tudo bem também. Estou em uma *vibe* muito tranquila para me importar com isso."

Com Pabllo Vittar, o bafo foi ainda mais complicado e envolveu dinheiro. Em 2017, a drag queen estava começando a despontar no cenário nacional, depois de uma temporada cantando na banda do programa *Amor e Sexo*, de Fernanda Lima, na Globo.

Anitta "adotou" Pabllo desde o início e, na primeira oportunidade, arrumou um jeito de mostrar os dotes da cantora que estava chamando a atenção de todos. Juntas, foram para o deserto do Marrocos gravar o clipe da música "Sua Cara", com letra da funkeira carioca e *beats* do trio de música eletrônica americano Major Lazer. Um passo gigantesco para Pabllo Vittar, que até então estava restrita ao circuito brasileiro.

O trabalho já começou confuso. Anitta ficou revoltada com o tratamento dado a Pabllo, que mal aparecia no clipe. A funkeira viu os cortes iniciais e se revoltou, exigindo que a drag tivesse tanto espaço quanto ela na música. A briga durou uma semana. Os editores achavam estranho colocar muito em cena uma desconhecida, mas Anitta queria justamente isso. No fim, valeu a força da carioca, que gastou cerca de setenta mil dólares com o vídeo.

Para impulsionar o lançamento do clipe, que foi um divisor de águas na vida de Pabllo, Anitta teve a ideia de fazer uma grande festa, a Combatchy, que seria, inclusive, transmitida ao vivo pelo Multishow. Era um projeto ousado e divertido, em que Anitta receberia uma diva adorada pelo público gay para "batalhar" contra ela no palco. Daí o nome, uma brincadeira com a palavra combate. Mas, na realidade, não havia nada de competição. Pelo contrário. Nas palavras da própria Anitta, era uma forma de "mostrar que não há disputa ou competição quando a nossa intenção é levar alegria para as pessoas. Duas ou mais artistas podem arrasar ao mesmo tempo e fazer um show incrível. Nossa arma será muita música boa, coreografia e, claro, glitter. No final, todas sempre saem vencedoras".

Mesmo assim, nem tudo estava pacificado. O trio de DJs Major Lazer não queria fazer a festa, principalmente porque o clipe de "Sua Cara" seria apresentado ali em primeira mão, antes mesmo de ser lançado oficialmente no canal do grupo. Mas eles também estavam incomodados com o fato de que o evento seria voltado para o público LGBT. Como já havia uma drag queen com enorme destaque no clipe, os DJs temiam que a música ficasse completamente associada ao universo gay, restringindo o público. Mentindo descaradamente, Anitta jurou de pés juntos que a Combatchy era uma festa para todos.

Superada essa etapa, veio uma surpresinha desagradável. Na hora de acertar os detalhes de sua participação na festa, Pabllo pediu quarenta mil para comparecer, ignorando o investimento que Anitta fez no clipe bem como todo o esforço da funkeira para que a drag aparecesse mais na produção. Anitta se sentiu usada. Detalhe: o cachê da Pabllo era bem menor antes de "Sua Cara". Graças a essa música, seu valor de mercado disparou.

Com o "sincerona" *mode on*, Anitta fuzilou sem dó nem piedade: "Eu pago os quarenta mil reais do seu cachê e você paga a sua parte dos setenta mil dólares que eu gastei no clipe."

Parecia cena de novela. Pabllo e sua equipe perceberam o tamanho da besteira que estavam fazendo e toparam fazer a festa sem cobrar cachê.

A primeira edição da Combatchy foi no Rio, em 30 de julho de 2017. A intenção era chamar toda a imprensa e fazer barulho. E assim foi feito. Mas todos só queriam saber de Anitta, e não de Pabllo, coitada. Durante uma entrevista ao vivo para a Record TV, por exemplo, a funkeira foi obrigada a mudar a posição do repórter Amin Khader, que dera as costas a Pabllo, ignorando-a.

De qualquer maneira, o evento foi um sucesso e cumpriu seu papel. "Sua Cara" bombou no Brasil inteiro, e Pabllo Vittar se tornou figurinha carimbada na mídia. Meses depois, aliás, chegaria ao palco do Rock in Rio para um dueto com Fergie, a voz feminina da banda The Black Eyed Peas. De quem foi a sugestão? De Anitta, claro.

Com a relação já estremecida, Pabllo e Anitta se reencontraram no *Música Boa*, programa que a funkeira apresentava no Multishow. Surgiu então a ideia de uma nova apresentação das duas, que mais uma vez seria transmitida pelo Multishow. Animação total. A data foi marcada e tudo parecia correr bem. Só que não.

Próximo ao dia do evento, a produção da Pabllo desmarcou sem maiores explicações. O Multishow pediu qualquer outra data. A resposta foi uma surpresa: "Não há datas."

Mas o caldo entornou de vez quando Anitta descobriu que Pabllo estava planejando lançar uma festa própria, uma cópia descarada da Combatchy. Pior: com Preta Gil a tiracolo. A funkeira ficou possessa. Ligou para Preta para tirar satisfação, cancelando sua participação na Combatchy. Depois disso, a relação de Anitta e Pabllo praticamente acabou. A última vez que as duas estiveram juntas foi na gravação do clipe de "Indecente", em que a drag passou uns minutos na casa da funkeira e vazou logo depois, para nunca mais voltar.

Esse clipe, aliás, foi uma sucessão de bafos. Foi lançado no aniversário de Anitta de 2018. Ela decidiu inovar e convidou uma galera para uma festa em sua mansão, na Barra. Todos iriam participar do clipe da música "Indecente", que teria transmissão ao vivo. Sem dúvida foi uma das maiores concentrações de celebridades por metro quadrado em toda a história da música brasileira.

Preta Gil estava lá, e foi dela uma das maiores alfinetadas da noite. Na época, Anitta estava casada com Thiago Magalhães. Numa conversa com Preta, ele quis ser simpático e perguntou sobre o marido da cantora, Rodrigo Godoy. Sem rodeios, ela mandou na lata: "Ih, ele já desistiu de me acompanhar faz tempo. E você? Quando vai perceber que não dá para ser casado com artista?"

Ninguém sabe se, além de artista, Preta Gil também é vidente. Mas o fato é que, meses depois desse episódio, Thiago e Anitta se separaram...

A festinha teve ainda um daqueles momentos de sinceridade típicos de Anitta. Lá pelas tantas, ela pegou o microfone e falou para todo mundo ouvir: "Infelizmente ainda tem um povo que a gente tem que chamar pra festa para não dar merda, porque, caso contrário, se volta contra a gente. Tem um povo que tá aqui que não gosta de mim, só finge que gosta. Se divirtam também. Se Deus quiser, um dia, eu não vou precisar mais chamar vocês."

A carapuça serviu em muita gente e foi um mal-estar geral...

Anitta sabia do que estava falando, afinal de contas, mesmo com uma carreira tão curta, ela já colecionava tretas como uma veterana do *showbiz*. Inclusive algumas internacionais.

Uma de suas metas mais ambiciosas sempre foi fazer sucesso no exterior. Para isso, Anitta sabia que precisava fazer parcerias com artistas já consagrados lá fora. Como a moça não é boba, foi direto no símbolo sexual da música latina, o colombiano Maluma. A primeira música juntos foi um estouro. "Sim ou Não" foi escrita via WhatsApp e gravada no México — por isso ela não cantou no Villa Mix Goiânia, entrando em guerra com um dos maiores empresários de música do país (uma história que será contada em detalhes mais à frente).

Enfim, o tiro foi certeiro. Ou quase. Ao contrário do ditado, dessa vez a tempestade veio depois da bonança. A briga começou com um simples pedido de Anitta: que Maluma ajudasse a traduzir a letra de "Paradinha". Ele disse que ajudaria, mas nada fez.

No meio de uma van lotada, indo para um set de gravação, os dois começaram a discutir feio. Anitta estava revoltada com a falta de apoio de Maluma. "Eu te pedi uma ajuda, algo que demoraria cinco minutos, e você foi incapaz de fazer", esbravejou. Sob os olhares assustados das equipes, a poderosa continuou descarregando sua raiva. "Eu não fiz nada contra você: não parei de te seguir. E mais. O Nego (do Borel) veio me perguntar se deveria gravar ou não com você, e eu disse que não havia problema algum."

Torta de climão…

Fato é que Maluma realmente gravou com Nego o clipe de "Corazón" — uma versão latina de "Você Partiu Meu Coração" —, e a música explodiu. O sucesso foi tanto que ele quis voltar ao Brasil para fazer shows e convidou Anitta para uma participação. A resposta? Um não bem redondo.

No telefonema, Maluma fez declarações de amor para Anitta, que debochou: "Se você me amasse mesmo, teria me ajudado. Então, não vem com essa conversinha mole, não."

Mas o mundo dá voltas. Maluma e Anitta voltaram às boas em maio de 2018 e, meses depois, estreavam no México a versão local do *The Voice*, ambos como jurados.

Bem pior do que Maluma foi Iggy Azalea, rapper australiana que convidou Anitta para uma parceria na música "Switch". Na época, as duas estavam com o mesmo *manager*. Mas deu tudo errado. Do começo ao fim.

A gravação do clipe foi em Los Angeles. Iggy começou a implicar com o maquiador de Anitta, Henrique Martins, um dos mais requisitados do Brasil — e, como se não bastasse, o preferido de Gisele Bündchen.

Não se sabe bem por que, mas a implicância continuou. Sem mais nem menos, Iggy simplesmente tirou todas as cenas de dança de Anitta do clipe. A brasileira gravou apenas uma participação sentada ao lado de Iggy e foi dispensada.

Se foi praga, ninguém nunca vai saber. Mas o fato é que o clipe foi um tremendo fracasso, vazando na internet antes do previsto e sendo bombardeado de críticas por Deus e o mundo. O problema é que, no mundo milionário da música, o marketing tem um poder e tanto. E a Warner, gravadora de Iggy e Anitta, conseguiu emplacar uma entrevista da dupla no programa *The Tonight Show*, com o humorista Jimmy Fallon, na NBC. Nada menos do que um dos mais poderosos dos Estados Unidos.

Sabendo da importância da entrevista, Anitta cancelou diversos compromissos no Brasil, inclusive shows, amargando prejuízos comerciais. Para se ter uma ideia, ela chegou a cantar de graça após alterar a data de uma apresentação.

Mas a implicância de Iggy continuava em nível *hard*. Ela mexeu os pauzinhos e conseguiu que a produção do *The Tonight Show* cancelasse a participação de Anitta em cima da hora. A brasileira subiu nas tamancas e enviou à produção do programa uma planilha com todos os custos que teve para ir aos Estados Unidos, exigindo ser ressarcida. Repentinamente, eles voltaram atrás.

As parcerias nacionais também renderam alguns desafetos para Anitta. O clipe mais assistido no Brasil em 2017, o *reggaeton* tropicalizado "Loka", uniu a funkeira pop com as sertanejas Simone e Simaria.

Se a música teve bom desempenho, a relação de Simaria e Anitta foi pro vinagre depois da gravação. E por besteira. Há um famoso grupo de WhatsApp que reúne os grandes cantores da música nacional. Lá, Simaria sempre pede a todos para divulgarem seus trabalhos. Quase todos os publicam em suas redes. Adivinha quem nunca compartilhava as músicas? Isso mesmo: Anitta!

E isso revoltava Simaria, que tinha em Anitta uma amiga. Mas a cantora carioca é pragmática com relação a suas redes sociais. Para ela, tudo é trabalho. Por isso suas postagens são planejadas, mesmo que não pareçam. Feitas de maneira direta e eficaz, para obter lucro.

Nego do Borel já havia alertado Anitta de que Simaria estava falando mal dela pelas costas. Aquilo machucou muito a funkeira. Antes do quiproquó, a "coleguinha" estava em depressão e Anitta ofereceu ajuda, já que também havia passado pelo mesmo problema.

A primeira vez em que se encontraram depois do disse me disse foi no Prêmio Multishow 2017, onde tiveram que cantar juntas — afinal, "Loka" era *A* música daquele ano. Nos bastidores, rolou um bate-boca pesado entre Anitta e Simaria sob o olhar preocupado de Simone, que nunca se meteu na briga das duas. Como se fosse a rainha da Inglaterra, Simaria enquadrou Anitta, reclamando que ela não a respondia. A carioca alegou estar sem tempo, com a agenda cheia. A resposta ofendeu a sertaneja, que se autointitulou "a cantora mais estourada do Brasil" naquele momento. "E, mesmo assim, eu consigo dar atenção a todo mundo", alfinetou. Por sorte a confusão ficou só nisso, e as duas tiveram que fazer carão na hora de entrar no palco para cantar.

Para finalizar este capítulo, recheado de barracos que sempre foram um mistério na imprensa brasileira, vale relembrar um dos primeiros bafos de Anitta: a discussão com Pitty, em dezembro de 2014, sobre liberdade sexual. Foi no *Altas Horas*, programa da TV Globo voltado para o público jovem, apresentado por Serginho Groisman. Enquanto a funkeira, já famosa por cantar músicas com pegada sensual, defendia que a mulher deveria "se dar ao respeito para ser respeitada pelos homens", a roqueira subiu nas tamancas e, com um discurso empoderado, deu uma aula de feminismo, afirmando que as mulheres têm o direito de se comportar como bem entenderem.

Anitta nunca falou abertamente sobre esse episódio, mas ele nunca saiu de sua cabeça. Amigos íntimos sabem que ela se sentiu usada, injustiçada, feita de escada para que Pitty lacrasse. Ela saiu do estúdio furiosa, reclamando que tinha sido usada para que a roqueira baiana militasse sobre feminismo, um assunto que ela, Anitta, ainda não dominava na época. A raiva era ainda maior porque, apesar de ter feito aquele discurso todo empoderado no ar, Pitty havia exigido tirar a funkeira de uma apresentação musical que fariam juntas para não misturar sua imagem com a dela.

De qualquer maneira, desde então Anitta mudou de pensamento e sabe que foi muito infeliz nos comentários. Tanto que agora é ela quem faz discursos feministas empoderados, defendendo o direito de as mulheres serem quem elas quiserem ser e exigindo respeito absoluto dos homens quanto a isso.

E quanto a Pitty?

As duas, claro, vivem se esbarrando por aí, em bastidores de TV, shows e tal. Mas Anitta nem olha na cara da baiana.

É ranço que fala, né?

MAIS QUE AMIGOS

A noiva estava com um vestidinho branco bem básico, de algodão, desses que se encontram em qualquer loja de departamentos por menos de 99,99 reais. Nada de Swarovski ou bordados. Nada de véu ou grinalda. O noivo seguia o mesmo estilo simples e despojado: camisa de malha branca, de mangas curtas, e uma bermuda também clara, que terminava acima do joelho.

Não havia madrinhas, padrinhos, daminhas de honra nem amigos de longa data. Nem sequer os pais dos noivos estavam presentes naquela cerimônia, que, aliás, não acontecia numa igreja, capela ou templo, e sim ao ar livre, no meio da floresta. Em vez de um padre, na frente do casal estava o velho pajé de uma tribo amazônica que fumava um charuto fedorento e não vestia nada além de um cocar e uma microtanga que deixava seus genitais à mostra. Sim, era como se o índio estivesse pelado.

Pela tradição indígena, a cerimônia deveria durar umas 12 horas, mas os noivos tinham pressa e conseguiram convencer o pajé a reduzir o rito para quarenta minutos. Como ele falou o tempo todo em tupi-guarani, ninguém entendeu absolutamente nada do que foi dito na bênção. Mesmo assim, foi tudo muito bonito.

Descrito assim, não seria estranho supor que se tratava de um casamento hippie, estilo bicho-grilo raiz, haribô total. Por isso o espanto geral quando explodiu a notícia de que os noivos eram Anitta e Thiago Magalhães, um empresário carioca que, na época, estava com 26 anos e com quem ela estava namorando havia apenas cinco meses. Um casal milionário, já acostumado ao que a vida podia oferecer de melhor.

Primeiro, houve o susto pela rapidez do casamento, algo que ninguém imaginava. Anitta sempre fora namoradeira e era difícil acreditar que, em tão pouco tempo com Thiago, tivesse decidido sossegar o facho de vez.

Depois, a surpresa pela forma como se deu a cerimônia. Era de se esperar um casamento feérico, típico dos ricos e famosos. Estilo Claudia Raia na Igreja da Candelária, ou tipo Marina Ruy Barbosa. Afinal, Anitta nunca negou gostar dos holofotes. E a família de Thiago faz parte da elite carioca.

A decisão de se casar no meio da floresta Amazônica partiu de Anitta. Ou melhor, de Larissa. Pode parecer estranho, mas elas não são a mesma pessoa. Anitta é festeira, está sempre na mídia, precisa valorizar sua imagem. Já Larissa, não. Cada vez mais há uma distância entre pessoa e personagem. E a menina do subúrbio de Honório Gurgel vem cobrando espaço, exigindo um pouco de paz e tranquilidade. Exatamente o que encontrou durante aquela temporada no Amazonas.

Ela estava lá para gravar o clipe da música "Is That For Me", com o DJ sueco Alesso. Thiago a acompanhava na viagem, e a cantora foi arrebatada por um sentimento que nunca havia experimentado antes. A força da natureza e a energia daquela floresta se somaram às emoções típicas de um início de namoro, aquelas que, muitas vezes, fazem as pessoas cometerem as maiores besteiras da vida. Como, por exemplo, se casar no meio da floresta com alguém que era praticamente um desconhecido.

Assim, no dia 10 de outubro de 2017, logo que terminaram as gravações do clipe, a cantora dispensou toda a sua equipe e ficou apenas com seu segurança pessoal, Ricardo, o único que iria testemunhar o casamento — foi dele, aliás, o solitário registro fotográfico do ritual. Uma imagem meio fora de foco, meio tremida, mas que rodou o mundo e, de alguma forma, antecipou como seriam os meses seguintes na vida daquele casal.

Se arrependimento matasse...

Sabe a história do sapo que vira príncipe encantado? Pois é. A transformação foi rápida. No dia 8 de setembro de 2018, antes mesmo de completarem as frágeis bodas de papel, o casal anunciou a separação.

Muitos pontos contribuíram para o fim da união, mas vale ressaltar os três mais importantes.

Para começar, Thiago tomou gosto pela fama. E isso, meus amores, Anitta odeia. Ele criou conta no Twitter, perfil no Instagram e virou famoso. Tudo, claro, pelo único e simples fato de ser casado com ela. Com o argumento de parar de ser seguida por tantos fotógrafos, sempre em busca de um clique dos dois, Anitta passou a expor seu casamento em suas poderosas redes sociais. Eram fotos apaixonadas, textos de amor profundo. Daí a seus milhões de fãs começarem a seguir os perfis de Thiago foi um pulo. E ele adorou.

Aquilo foi um balde de água fria na cabeça da cantora. Quando eles se conheceram, Thiago era meio avesso a essa história de fama. Nos primeiros meses, inclusive, chegou a propor que a artista diminuísse o ritmo de trabalho para dar mais atenção à vida pessoal. Cobrava mais tempo com Larissa, e não com Anitta. Mas acabou se embebedando do glamour que o sucesso traz e virou outra pessoa.

Anitta reclamou muito dessa mudança. Ela nunca gostou desse tipo de homem, que se acha. Ainda mais quando se sente usada como trampolim para o estrelato do boy. A situação ficou tão feia que, antes mesmo da separação definitiva, eles chegaram a romper por um tempo. A condição para que voltassem a viver juntos era simples: Thiago deveria apagar as redes sociais, principalmente o Instagram. Ele prometeu mudar e ela acreditou, tadinha.

O segundo ponto crucial para o fim do casamento foi o fato de Anitta nunca ter se sentido realmente acolhida naquela relação. A mãe de Thiago não gostava nem um pouco daquela história. Tanto que só esteve com a nora em três ou quatro ocasiões — nem sequer foi ao casamento que eles realizaram no civil, depois da cerimônia indígena na Amazônia.

Por fim, o ponto mais importante de todos, esse realmente muito grave: a forma como Thiago tratava Anitta. No início, tudo eram flores.

Depois, só sobraram os espinhos. Amigos próximos não entendiam como alguém como ela suportava aquelas atitudes estúpidas do marido. Muitos diziam, inclusive, que ela estava num relacionamento tóxico, abusivo, baseado em assédio moral. Palavras como "burra" e "suburbana" eram proferidas diversas vezes na frente de todos.

A ficha dela demorou a cair, mas Anitta finalmente se deu conta de que precisava tomar uma atitude. Caso contrário, sentia que as agressões verbais poderiam piorar, se tornando até mesmo físicas.

No dia em que anunciaram a separação, Thiago fez um comentário absolutamente irônico: "Finalmente Leo Dias não vai mais fazer parte da minha vida." Como se a fama o incomodasse!

Leitor querido, mais uma vez peço licença para entrar na história, já que fui citado nominalmente.

Horas depois de fazer essa declaração esdrúxula, Thiago Magalhães teve a audácia de me ligar, querendo marcar uma conversa cara a cara, para dar sua versão dos fatos que levaram à separação. Como não estava no Rio, já começou abusando da marra: "Deixa eu pegar um helicóptero. Quando eu chegar aí, te aviso, combinado?"

Claro que não, querido. Na mesma hora, liguei para Anitta e ouvi dela: "Me promete uma coisa? Não fala mais dele, por favor."

Entendi e sumi da vida do menino. Afinal, meus amores, não sou de dar fama a quem não tem...

Da mesma forma que o casamento foi uma surpresa para todo mundo, a separação chocou os fãs da cantora. Uma história de amor que parecia tão intensa...

Enfim, não adiantava nada chorar o leite derramado.

Depois de um ano e meio, Anitta estava na pista pra negócio.

E, olha, ela gosta muito do negócio.

Tanto que, dias depois da separação, ela já estava envolvida com um segurança recém-contratado para substituir seu antigo e fiel guarda-costas, que acabou bandeando para o lado de Thiago na separação.

Dá para notar que Anitta é um ser absolutamente sexual. Por mais que certo exagero nesse sentido seja parte da personagem que criou, como fica evidente em clipes como "Vai Malandra" e "Bola Rebola", por exemplo, ela nunca escondeu de ninguém que é muito mais abusada do que meiga quando o assunto é sexo.

Que o diga dona Miriam, sua mãe. Quando Anitta ainda era apenas Larissa, ela já percebia na filha um certo *sex appeal*. A cultura funk contribuía para isso, claro. Roupas sumárias e provocantes faziam parte do figurino diário da garota, que era daquelas que subiam a saia da escola até o meio da coxa e ainda davam nó na camisa do uniforme, deixando o umbigo à mostra. Tudo muito natural para uma adolescente.

A religião nunca impediu Miriam de conversar abertamente com os filhos sobre sexo. Ela sabia dos crushs, dos peguetes e até dos casos mais sérios. Numa dessas conversas, precisou respirar bem mais fundo para levar na boa o que estava ouvindo. Sentada na sua frente, naturalmente tensa, Larissa disse que gostava de meninos e de meninas. Foi um choque.

Por mais aberta que fosse, a bissexualidade da filha bagunçou um pouco a cabeça de Miriam. E nem mesmo o surgimento do primeiro namorado sério da garota foi capaz de sossegar a cabeça da mãe.

O escolhido foi Diego Villanueva, o Mr. Thug, do grupo de funk Bonde da Stronda. Antes disso, Anitta nunca havia levado nenhum namorado em casa e o apresentado à mãe com essa alcunha e seriedade. Na época, ele já era famoso pelo grupo, e ela estava dando os primeiros passos como MC Anitta.

O casal ficou junto por quase cinco anos, contra a vontade da mãe da cantora, que não era lá muito fã do funkeiro. E, como intuição de mãe está sempre certa, rolou uma bela de uma traição que deixou a menina com o coração partido por muito tempo. O cantor, obviamente, nega. Diz que a relação acabou por conta da rotina estressante dos dois — e também por ciúmes da parte dela.

Uma coisa é certa: desde muito cedo, Anitta sempre conseguiu preservar bem os detalhes de suas relações amorosas. Mesmo quando fazia vazar para a mídia algum casinho, era tudo superficial demais. A bissexualidade, por exemplo, só se tornou pública em 2018, poucos dias antes de ela lançar o clipe de "Não Perco Meu Tempo", no qual aparece beijando 28 pessoas na boca, entre homens e mulheres. Houve até quem desconfiasse de uma estratégia de marketing, mas os que realmente conhecem a cantora sabem que o gênero nunca foi um quesito importante para estar na cama dela.

Na mesma época em que assumiu a bissexualidade, Anitta também falou sobre outras ousadias sexuais, como ter ido para a cama com mais de uma pessoa ao mesmo tempo. Fez isso com mais de um namorado, mas nunca conseguiu realizar essa fantasia com o ex-marido, Thiago. Sabia que não seria bom, que ele arrumaria um jeito de humilhá-la.

A verdade é que essa foi a primeira e talvez a única vez que Anitta se expôs tanto assim com relação a sexo. Seu comportamento é, normalmente, o oposto disso. Inclusive, sua postura de não gostar muito de revelar detalhes de sua intimidade já contagiou todos a seu redor. Parentes e amigos próximos são reticentes quando perguntados sobre a vida sexual da cantora. A resposta é sempre a mesma, como se tivessem sido treinados: "Ah, ela é muito focada no trabalho e nunca foi muito de namorar." Mas a conta não fecha. Anitta é do babado, meus amores.

Depois do término conturbado com Mr. Thug, Anitta dizia que não queria namorar ninguém pra valer. Estava aproveitando a vida, a juventude e a fama. Mas, como diz o velho ditado, o coração tem razões que a própria razão desconhece. Foi quando surgiu Nilo Faria, um rapaz com 21 anos na época, morador de Niterói, e deu um sacode na vida da cantora. O relacionamento dos dois coincidiu com o estouro de "Show das Poderosas", em 2013.

Escaldada, Anitta evitava afirmar que estava namorando, mas encheu suas redes sociais de fotos com Nilo e o apresentou para os amigos, inclusive Neymar. Como o trauma do chifre na relação com Mr. Thug ainda doía, a cantora queria ter certeza de que o lance com o novo bofe, como ela costuma chamar seus homens, era mais firme. Tanto que, numa entrevista para Ana Maria Braga, pouco antes do Dia dos

Namorados, revelou que não estava sozinha, mas ainda estava fazendo um "teste de fidelidade". Isso incluía, claro, receber informações de sua rede de fãs, sempre atenta a qualquer movimento estranho do rapaz em festas e noitadas.

Foi para Nilo que a cantora compôs alguns versos da música "Zen", especialmente o refrão, que diz: "Só de olhar teus olhos, baby, eu fico zen / O coração acelerado a mais de cem / Juro que eu não quero mais ninguém / Você me faz tão bem." Parte dessa paz estava no fato de que Nilo não se deixava deslumbrar pelo mundo da fama e tudo o mais que cercava Anitta. Nem mesmo o sucesso de "Show das Poderosas" foi capaz de fazer o rapaz mudar de atitude. Ele gostava da mulher, não da personagem. E essa é, até hoje, a característica mais valorizada por ela em um relacionamento. Quando percebe que o bofe está só surfando na fama dela, babou. Foi assim com Thiago, lembra?

Ah, mas sabe o tal "teste de fidelidade" que Anitta estava fazendo com Nilo? Então... deu ruim.

Parece até piada, mas a cantora mais desejada do Brasil dos anos 2010, sexy até o último fio de cabelo e autora de versos como "Eu posso conquistar tudo que eu quero" ou "Homem do teu tipo eu uso", passou por problemas de relacionamento absolutamente comuns, que qualquer anônimo está sujeito a viver.

A história de amor entre Anitta e Tuka Carvalho, dono da FM O Dia, já detalhada no Capítulo 4, também foi marcada por ciúme, insegurança e desconfiança.

Depois de Tuka, já mais segura de si, Anitta conseguiu viver algum tempo solteira, mas não sozinha. Teve alguns *affairs* anônimos — como Bruno van Enck, empresário e dono da barbearia Corleone, onde ela gravou o clipe de "Deixa Ele Sofrer" — e outros bem famosos — como o apresentador André Marques. Na cama de Anitta também passaram mulheres e até gays assumidos, como o estilista Pedro Lourenço.

Falando em famosos, a lista de rolos de Anitta é bem variada. O ator Pablo Morais, jovem galã de várias novelas da Globo desde 2016, passou pelo menos um mês com a cantora. Com André Marques, a relação durou um pouco mais: cinco meses. Os dois se davam bem na cama, mas Anitta descobriu que ele também estava ficando com uma bailarina do Faustão e pôs fim ao romance. André, que nunca assume ninguém, jamais assumiria Anitta.

Luan Santana também teve um caso com Anitta. Ficaram a primeira vez no casamento de Fernanda Souza e Thiaguinho, em fevereiro de 2015. Depois disso, se encontraram outras três vezes. Para amigos, a cantora confidenciou que não havia química entre eles.

Quem deixou Anitta caidinha foi o humorista Eduardo Sterblitch, famoso como o Freddie Mercury Prateado do programa *Pânico na TV*. Ali, sim, rolou química. Sabe o famoso amor que "bate e fica"? Foi desse tipo.

Dias depois de começarem a sair, o ator presenteou a cantora com um par de sapatos Louboutin, aqueles que têm a sola vermelha e custam uma pequena fortuna. A cada encontro, um pequeno terremoto. Mas tinha um probleminha: a bebida. Era algo tão comum na rotina de Sterblitch que chegava a incomodar Anitta. E acabou por sacramentar a separação dos dois. Tempos depois, numa entrevista ao programa do Jô, o ator comentou que tinha conseguido parar de beber e fumar graças ao budismo e que, no passado, usava o álcool como "muleta" para atuar.

Outro comediante, Fábio Porchat, também caiu nas graças de Anitta. Mas nenhum dos dois gosta de falar sobre o caso, talvez porque não tenha sido marcante. Assim como aconteceu com Luan Santana, a química não funcionou.

Em 2016, um sonho dos fãs da cantora quase se tornou realidade. Depois de serem muito shippados, Anitta e Neymar tiveram um lance. Foi breve, escondido de todo mundo, mas marcante. Tudo aconteceu durante uma viagem de trabalho de Anitta para a Europa, para fazer uma ação de marketing. O craque já jogava no Barcelona e eles acabaram se encontrando.

Se em campo Neymar tem fama de cai-cai, na pegação ele sabe muito bem se segurar em pé. Na ocasião, claro, o jogador estava separado de Bruna Marquezine, com quem teve um namoro tipo ioiô durante anos. Mas o casinho inofensivo foi mais do que suficiente para piorar ainda mais a relação da atriz com a cantora.

As duas não se bicam desde um episódio em 2014 envolvendo integrantes da banda *teen* One Direction. O grupo veio ao Brasil para uma série de shows e, como costuma acontecer nessas ocasiões, várias festas foram organizadas. Uma delas foi no chiquérrimo Hotel Fasano, em frente à praia de Ipanema, onde os rapazes estavam hospedados. Anitta e Marquezine, que haviam assistido ao show em cima do palco, foram convidadas. As duas, muito gatas, logo despertaram a atenção de dois integrantes da banda. Lá pelas tantas, a cantora engatou numa conversinha mole com o vocalista Niall Horan e desapareceu com ele da festa. Ela só deixou o Fasano no meio da tarde seguinte, pela garagem e com o apoio de seguranças para não ser fotografada. Enquanto isso, Marquezine ignorava as investidas de Harry Styles. O motivo: ela estava de boas com Neymar. Niall Horan, por exemplo, não entendeu nada quando viu a atriz conversando mais intimamente com seu colega de banda, já que ele era amigo de Neymar e sabia que o jogador e a atriz haviam retomado o relacionamento. No fim das contas, apesar de banhos de piscina, bebidas e carinhos, nada rolou entre Bruna e Harry.

Mas a repercussão da noitada na mídia causou um enorme mal-estar entre Anitta e Bruna Marquezine. A atriz e sua assessora, Juliana Mattoni, ficaram desesperadas com a exposição dada às conversas ao pé do ouvido com Harry Styles. E rolou a desconfiança de que a cantora teria vazado a história para a imprensa. Juliana ligou para vários sites, cobrando explicações, mas ninguém confirmou nada. Enfim, se a relação não era boa, ali melou de vez. Anitta e Bruna só voltaram a se falar — apenas por cordialidade, que fique bem claro — quando Juliana Mattoni, numa reviravolta surpreendente, virou assessora de Anitta.

Outro romance que deu o que falar, tanto no Brasil quanto no exterior, foi com o piloto de Fórmula 1 Lewis Hamilton. O inglês, um dos melhores de todos os tempos, se encantou com Anitta quando a encontrou durante eventos para a divulgação do Grande Prêmio do Brasil de 2016. No dia da corrida, 13 de novembro, Hamilton chegou em primeiro lugar e levantou o troféu, um prêmio de consolação por não ter sido campeão mundial naquele ano (o título da temporada 2016 foi para o alemão Nico Rosberg).

Agora, a festa no pódio, com direito a banho de champanhe e tudo mais, nem se compara com a que rolou no quarto de hotel onde o piloto inglês estava hospedado. Lá, ele e Anitta começaram um rolo que durou mais de seis meses, com direito a uma estadia romântica na paradisíaca região de Los Cabos, no México, além de passeios de mãos dadas e jantares em restaurantes chiquérrimos na Europa. O caso não foi adiante, mas o carinho entre os dois permanece. Todas as vezes que Hamilton vem ao Brasil, eles se encontram, conversam, se divertem e postam fotos juntos.

Mesmo com tantos famosos no currículo, e muitos outros loucos para ter um caso com ela, Anitta não tem o menor problema em se relacionar com pessoas normais, que não fazem parte do *showbiz*. Em janeiro de 2019, depois que participantes do programa Big Brother Brasil decidiram comentar sua vida sexual, dizendo que a cantora deveria ficar com alguém mais famoso, ela respondeu à altura, usando suas redes sociais: "Olha, eu faço negócio em todas as áreas da minha vida, menos nessa, gente. Eu quero grana? Eu vou trabalhar. Eu quero status? Eu vou trabalhar. Eu quero acrescentar algo na minha imagem? Eu vou trabalhar. Bofe eu não pego pra isso, né, gente, bofe eu pego pra ser feliz, pra me fazer feliz. Inclusive, né, bofe eu pego por vontade, não por necessidade", disse, e ainda completou: "Nessa altura do campeonato já estou feliz da minha vida. Vou ficar tendo que escolher nível de importância de bofe? Jurou, né?"

Fato é que as maiores paixões de Anitta nunca foram pautadas por nada além da própria emoção, das famosas borboletas na barriga. Ser famoso está longe de ser um critério de "seleção" para a artista. Thiago Magalhães até era rico, só que muito menos do que fingia ser. Ele até fazia sucesso nos camarotes VIPs das boates da Barra da Tijuca e estava tentando começar a vida como empresário de artistas, mas era um ilustre desconhecido quando esbarrou com Anitta pela primeira vez nos bastidores do programa *Música Boa*, do Multishow. E, por mais que a relação dos dois tenha terminado de uma maneira bem ruim, ele arrebatou o coração de Anitta a ponto de se casarem.

Um detalhe curioso: a fama de pegadora até se justifica, mas a verdade é que Anitta gosta mesmo é de namorar. E, mesmo depois do fim traumático do relacionamento com Thiago, não pensou duas vezes antes de engatar em outro romance. Em outubro de 2018, ela conheceu Ronan Carvalho e se encantou com o *boy*, que tinha apenas vinte anos na época. O cupido da relação foi o empresário e promoter Biel Maciel, ex-paquito da Xuxa. Biel, aliás, também já teve um lance com Anitta, e dizem que sua paixão por ela nunca deixou de existir.

Nascido e criado em Oswaldo Cruz, bairro do subúrbio carioca que fica ao lado de Honório Gurgel, onde Anitta morou a maior parte de sua vida, Ronan Carvalho é filho de um pequeno comerciante e considerado um rapaz tímido, humilde e boa praça.

O que poderia ser apenas uma distração foi ficando sério. Tanto que, em novembro de 2018, os dois viajaram juntos para o Ceará, para um fim de semana romântico. E no Natal, dia do aniversário de dona Miriam, ele pediu Anitta em namoro, presenteando a cantora com um cachorrinho.

Um dos fatores que deixaram a cantora mais encantada não teve nada a ver com beleza ou pegada. Ronan cresceu no conceito dela quando entendeu que não precisava expor a relação dos dois. Quando uma fã de Anitta descobriu o romance e passou a shippar o casal, o rapaz simplesmente trancou suas redes sociais, mesmo sem a cantora pedir. E assim ganhou dois pontos no difícil jogo de xadrez que é a vida amorosa da artista. Quando Anitta chegou de uma viagem longa para os Estados Unidos e o México, o *boy* a esperava no aeroporto com um buquê de flores. Mais três pontos. E o mais importante de tudo: Ronan não sentia deslumbre nenhum pela fama. Além disso, logo fez amizade com todos os amigos e com a família dela.

Mas tudo o que é bom dura pouco. Em fevereiro de 2019 o romance esfriou, e, pela primeira vez em um bom tempo, Anitta passaria o Carnaval solteira.

Aí, meu bem, ela fez jus à alcunha de Furacão.

Como tudo o que envolve o nome de Anitta, havia uma ansiedade geral para saber o que a cantora iria aprontar nos dias de folia. E lá foi ela para Salvador, comandar seu Bloco das Poderosas pelos circuitos da capital baiana. Adivinha quem também estava lá, curtindo a vida adoidado? Neymar.

Depois de se separar pela enésima vez de Bruna Marquezine, o craque estava livre, leve e solto.

Ah, detalhe. Marquezine também estava em Salvador e, do nada, apareceu no Bloco da Anitta, levada pelo assessor de imprensa da cantora. Elas não se bicam desde o episódio com os meninos do One Direction, lembra?

No alto do caminhão, a atriz acenou sem graça para a cantora e saiu de fininho, sem registrar sua passagem por ali em suas redes sociais. Isso deixou Anitta furiosa. Pouco depois, o bloco passou em frente ao camarote em que Neymar estava. A cantora parou e tocou alguns funks para divertir o jogador. A mídia, claro, já ficou de olho naquilo. Mas estava claro que era tudo brincadeira. Os dois são amigos de longa data.

Depois de Salvador, Anitta ainda foi para o Ceará, antes de aportar no Rio de Janeiro, na segunda-feira de Carnaval, para curtir um dos camarotes mais bombados do Sambódromo. Por sinal, o mesmo onde estavam Neymar e Bruna Marquezine, entre dezenas de outros famosos.

Se o objetivo era causar, então a lista de convidados feita por Carol Sampaio (lembra dela, a "invejosa" de "Show das Poderosas"?) não podia ser melhor, né?

Lá pelas tantas, com hormônios e álcool numa mistura explosiva, Anitta entrou em erupção. Certa ela. Solteira e sem dever nada a ninguém, beijou quem bem quis. Inclusive Neymar, num *revival* de outras épocas. Foi um beijo só, mas, como foi em público, acabou causando um terremoto. Os fãs logo shipparam o casal, e a hashtag #Animar bombou nos *trending topics* mundiais do Twitter. Muitos passaram a provocar Bruna Marquezine no Instagram. Inspirada na cantora americana Taylor Swift, que saiu das redes sociais para não precisar lidar com *haters*, a atriz simplesmente desativou sua conta, deixando milhões de seguidores abismados.

No dia seguinte, Anitta foi bombardeada logo cedo com milhões de questionamentos a respeito do beijo em Neymar. Mas estava rolando aquela amnésia alcoólica básica, entendeu? Ela sabia que tinha beijado geral no camarote, homens e mulheres, mas não tinha a mais vaga lembrança de quem eram as pessoas. Só depois que surgiu um vídeo mostrando o momento do encontro entre ela e o jogador é que, finalmente, caiu a ficha. Em seu Instagram, Anitta explicou que não pegou ninguém "de verdade". Foram só beijos e nada mais.

Agora, nem mesmo Neymar parece ter forças para entrar no rol de "homens da vida" de Anitta que, em 2019, é composto apenas por seu pai, Mauro, seu irmão, Renan, e Daniel Trovejani.

Quem?

Para a mídia, ele pode ter até passado como um *affair* de Anitta, mas é muito mais que isso. Os dois se conheceram quando ela ainda era Larissa, uma adolescente de 16 anos que só sonhava em ter metade do que conquistou hoje.

O ano era 2008, e Larissa estava em uma boate na Tijuca, Zona Norte do Rio de Janeiro. No meio da noitada, percebeu que tinha perdido seu celular e ficou desesperada — afinal, ainda não tinha dinheiro para comprar tudo o que quisesse. Começou a procurar o aparelho dentro da casa noturna, mas nada de achar. Até que deu de cara com Daniel Trovejani, que tinha achado um celular e estava percorrendo a boate em busca da dona. Sua única pista para achar a garota era a foto na tela.

Quando viu o rapaz com o aparelho na mão, Larissa correu na direção dele e já foi agradecendo, toda feliz:

— Nossa, você achou meu telefone! Obrigada.

Daniel olhou para a foto, olhou para a garota e respondeu:

— Não, esse telefone não pode ser seu, a pessoa que está na foto é completamente diferente!

Que vergonha!

Naquela época, anos antes das muitas intervenções cirúrgicas, Larissa apelava para o bom e velho Photoshop. Nariz menor, pele mais lisa, lábios mais grossos, rosto mais fino... Enfim, um esboço do que viria a se tornar depois das plásticas.

Desfeito o mal-entendido, os dois começaram a conversar e Daniel chamou Larissa para uma de suas festas.

Filho de militar, superconservador, Daniel sempre teve uma boa condição financeira e, contrariando o pai, que queria que o menino seguisse carreira na Aeronáutica, começou a promover festas aos 15 anos. Quando conheceu Larissa, ele estava com 19 e era promoter de boates da Zona Norte. Nunca precisou do dinheiro dos pais. Dez anos mais tarde, em 2018, já ostentava nada menos do que três diplomas universitários: Administração, Marketing e Direito. Um prodígio. Aos poucos, ele descobriu que as festas seriam seu futuro. Muito organizado, começou a promover eventos de samba e funk e criou, com outros sócios, uma empresa que monta até a estrutura dos palcos.

Voltando ao primeiro encontro, o tal evento promovido por Daniel para o qual convidou Larissa era uma festa no Circo Voador, uma das mais importantes casas de show do Rio de Janeiro, no bairro boêmio da Lapa. O primeiro beijo entre os dois aconteceu ali e, depois disso, passaram a sair, sem compromisso.

Mas sempre tem um porém, né? No caso, Daniel tinha uma ex-namorada por quem era apaixonado. Então, o lance com Larissa não decolava. Os dois continuavam trocando mensagens e até ficavam de vez em quando. O problema é que a prioridade do rapaz era reconquistar a ex.

Larissa sempre foi um bom ombro amigo e, durante todo o processo de confusão amorosa de Daniel, esteve ao lado do rapaz, se fazendo presente todas as vezes que ele parecia borocoxô.

Claro que aquela situação não ia durar. Pouco tempo depois, Larissa virou Anitta e sua vida deu uma cambalhota. O carinho entre os dois, no entanto, permaneceu. Experiente no mercado de eventos e shows, Daniel se tornou conselheiro de primeira hora da nova artista. Ela recorria a ele sempre que precisava de ajuda e de amigos leais e sem interesse — algo que, com a fama, foi se tornando artigo raro.

Em 2014, os dois voltaram a se dar uma chance no amor. O romance durou quase um ano, mas acabou definitivamente por questões de agenda. Os interesses de Anitta e de Daniel não batiam. Ele tem pavor da fama, e a artista ficava cada vez mais famosa.

Foram sete anos de idas e vindas como casal, mas de uma amizade ininterrupta. Daniel foi um dos primeiros a alertar Anitta sobre Kamilla Fialho, por exemplo. Era para ele que ela ligava quando tinha algum problema, precisava desabafar ou contar um segredo.

Em 2018, Daniel recebeu uma ligação de madrugada. Anitta ainda estava casada com Thiago Magalhães, e o amigo atendeu achando que os dois haviam brigado. Estava pronto para escutar algo sobre a vida amorosa da cantora. Mas, dessa vez, a ligação era de cunho profissional. Anitta queria que Daniel a acompanhasse nas reuniões de trabalho daquela semana. Ele quis saber o motivo do pedido, principalmente pela hora, mas Anitta é feita de muita ação e poucas palavras. Curioso, e sabendo que havia uma razão importante para o chamado, lá foi ele para as reuniões. Por fim, Anitta confidenciou que Daniel era a pessoa em quem ela mais confiava depois do irmão. E o convidou para trabalhar diretamente com ela e Renan, gerenciando sua carreira.

Surpreendentemente, a resposta de Daniel foi um "talvez". Pediu seis meses para pensar se valia a pena deixar de lado tudo o que construíra até ali para embarcar no sonho de Anitta. Finalmente, depois de avaliar todos os prós e contras, ele aceitou o convite e se tornou, no final de 2018, o braço-direito de Anitta e Renan na Rodamoinho Produções Artísticas.

Mais que isso: lá no fundo, é o grande amor da vida dela.

Entrevistar Daniel foi a tarefa mais árdua deste livro. Ele sabe da própria importância na vida de Anitta. No amor — ou sexo, chame como quiser —, a cantora não quer fidelidade absoluta, ela quer sinceridade. Já nos negócios, ela exige lealdade total. E Daniel tem tudo isso. Nas cinco vezes em que terminou com ela, por exemplo, sempre explicou claramente as razões.

Anitta sabe que a fama é, sim, um problema sério para Daniel. E como ela tem consciência de que tudo isso um dia vai passar... quem sabe? Dona Miriam, por exemplo, tem uma certeza na vida: Daniel Trovejani é o homem da vida de Larissa — a mulher real por trás da personagem — e vai passar o resto da vida com ela. E não é bom duvidar, não. Mãe costuma saber das coisas.

COSTURANDO
O FUTURO

Os olhos de Larissa estão aflitos, ansiosos, transbordando tensão. Angustiada, a garota acompanha o movimento hipnotizante das mãos da mãe, dona Miriam, que, com a segurança e a habilidade de quem passou a vida se virando do jeito que dava para garantir oportunidades à família, maneja linha e agulha. Dali a pouco, Larissa tem uma apresentação. Lá fora, um palco a espera. Um palco no qual ela vai subir pela primeira vez, realizando um sonho que a acompanha desde sempre. Dona Miriam sabe disso e, mesmo nervosa, procura manter uma postura serena. Não quer deixar a filha insegura. Não agora, tão perto da concretização de um desejo tão importante. Entende perfeitamente seu papel naquela história toda. Como muitas mulheres, cuidou sozinha da casa desde que Larissa tinha quatro anos e foi a maior incentivadora das ambições artísticas da menina. Às vezes, achava graça quando a filha dizia que queria ser "artista rica e famosa". Afinal de contas, para uma família de classe média baixa do subúrbio carioca de Honório Gurgel, fama e riqueza não são exatamente fáceis de se encontrar. Mas nunca reprimiu Larissa por deixar a imaginação voar tão alto. Ao contrário: mais uma vez dona Miriam está ao lado da garota, a apoiando num momento crucial. Com linha e agulha nas mãos, ela costura o figurino para a apresentação da filha...

* * *

Déjà vu.

Anitta balança a cabeça, como se estivesse saindo de um transe. Sua história estava se repetindo bem ali, na sua frente. Por um breve instante ela voltou a ser simplesmente Larissa, uma menina sonhadora de dez anos, vendo a mãe costurar seu figurino para o dia mais importante de sua vida. Só que, em vez do pequeno quarto na casa em Honório Gurgel, mãe e filha estão em Portugal, nos bastidores de um dos maiores e mais importantes festivais de música do mundo, o Rock in Rio, edição Lisboa 2018. Dali a poucas horas haverá mais de cinquenta mil pessoas aguardando a primeira apresentação da artista no evento.

Mas Anitta ainda não tem condições de subir ao palco. Como em sua primeira apresentação, no Concurso de Primavera do colégio, ela precisa esperar a mãe terminar de costurar o figurino. Dona Miriam foi chamada às pressas para resolver um imprevisto. Apesar de todo o aparato milionário que a cantora leva para os seus shows, um problema de última hora atrapalhou os planos: as roupas dos seus bailarinos não chegaram.

Os quatro looks que Anitta usaria no show foram criados pelo estilista italiano Stefano Gabbana, fã declarado da cantora. Todos feitos a mão, demoraram mais de um mês para ficarem prontos. Estavam lindos, perfeitos. O problema é que seu balé estava literalmente pelado. E não eram poucos dançarinos, não. Anitta viajou com todo o seu *staff* e contratou bailarinos portugueses para completar o time.

O jeito seria improvisar. Renan, seu irmão e fiel escudeiro, deu a sugestão e, sem pensar duas vezes, Anitta ligou para a mãe, que estava em Lisboa para acompanhar a turnê europeia da filha. Um pedido de socorro, mais uma vez prontamente atendido. E olha que já passava de uma hora da manhã. A cantora teve medo de a mãe estar dormindo, já que dona Miriam costuma ir cedo para a cama. Ainda mais na véspera de um show tão importante. Mas o coração materno tem mistérios indecifráveis. Justamente naquela noite, o sono ainda não havia chegado.

E não chegaria tão cedo. Durante as seis horas seguintes, dona Miriam reassumiria a função de costureira, que a ajudara a sustentar a família durante tanto tempo. Com os mesmos olhos aflitos, ansiosos e transbordando tensão, Anitta fica observando dona Miriam manejar linha e agulha para costurar os figurinos dos bailarinos. Ao final do trabalho, um misto de orgulho e emoção conecta mãe e filha. Anitta poderia fazer seu show poderosa como sempre. Então ela sorri. Percebe que, mesmo já tendo se tornado uma "artista rica e famosa", continua tendo em si aquela Larissa sonhadora e ambiciosa que deu os primeiros passos na caminhada rumo ao sucesso lá na casa humilde do subúrbio carioca. E entende que é justamente isso que vai levá-la ainda mais longe.

Os caminhos que a levaram até o palco do Rock in Rio Lisboa, no entanto, foram bem complicados. Para chegar lá, Anitta teve que bater de frente com o maior e mais influente empresário do ramo artístico no Brasil, Roberto Medina.

E venceu a briga.

Os problemas entre os dois vieram à tona em 2017. Ao longo de todo o primeiro semestre, a Artplan, empresa de Medina que organiza o Rock in Rio, fez dezenas de comunicados anunciando os artistas que se apresentariam na edição carioca do evento, marcada para setembro daquele ano. A cada anúncio, tanto a mídia especializada quanto os fãs de Anitta ficavam sem entender nada. O nome da cantora mais bombada do Brasil simplesmente não aparecia na lista.

Aquilo não fazia sentido.

Mas tinha uma explicação.

Os Medina, mais especificamente Roberto, o pai e fundador do festival, têm uma história de muito sucesso no *showbiz*. Ele está no *Guiness World Records* como o promoter do maior show de um artista solo na história (Frank Sinatra, no Maracanã, em 1980, para 175 mil pessoas). Consagrado como empresário e produtor há mais de trinta anos, ele fez do Rock in Rio uma grande máquina de ganhar dinheiro, faturando mais de duzentos milhões de reais por edição.

Desde o primeiro festival, em 1985, a ideia era unir diversas tribos. O rock, claro, sempre foi o carro-chefe. Mas havia espaço para jazz, MPB, Novos Baianos e velhos pernambucanos. Por trás de tamanha mistura, um conceito simples: atirando para todos os lados, seria mais fácil fechar as contas.

Mas tudo tinha um limite. A burguesia carioca nunca viu com bons olhos os ritmos vindos do subúrbio. Em 1991, no segundo Rock in Rio, Medina abriu uma exceção para o samba e permitiu que o roqueiro Lobão subisse ao palco acompanhado da bateria da Mangueira. Deu tudo errado. A plateia não gostou daquilo e expulsou o velho Lobo na base da latada.

O episódio serviu para confirmar as hipóteses de que havia ritmos proibidos no Rock in Rio.

Como o samba no passado, o funk ainda sofre um grande preconceito junto à elite, que associa o ritmo à promiscuidade, à criminalidade e à pobreza.

Nascida e criada nos bailes do subúrbio, Anitta se consagrou cantando o gênero musical das favelas. E, mesmo sendo a cantora brasileira de maior destaque em 2017, os Medina não estavam dispostos a arriscar.

Funk não era bem-vindo e ponto-final.

Anitta, que já sabia da decisão dos Medina desde fevereiro daquele ano, tentava manter as aparências. Com o passar dos meses e o festival se aproximando, deixava o barco correr como se nada estivesse acontecendo. Mas estava frustrada e, lógico, com raiva de toda aquela situação. Cantar no Rock in Rio era um desejo antigo e seria a coroação de um trabalho duro. Ela já havia participado de praticamente todos os festivais importantes do Brasil, como Villa Mix e Planeta Atlântida. O Rock in Rio, porém, era diferente — e muito mais poderoso.

O universo artístico, no entanto, nem sempre segue regras impostas por famílias poderosas. Ele tem movimentos próprios. Quando duas estrelas entram em harmonia então, é difícil controlar.

Semanas antes de o Rock in Rio começar, a cantora americana Fergie, famosa por rebolar seus *humps* até o chão na banda The Black Eyed Peas, teve uma ideia que tiraria o sono de Roberto Medina: escalada para o festival, simplesmente convidou Anitta para fazer uma participação em seu show.

Fergie sempre sensualizou com a dança e é fã dos rebolados da cantora brasileira. Tanto que um dos pedidos que fez para Anitta foi que a carioca fizesse o "movimento da sanfoninha" no palco.

Para o público, seria um delírio.

Para os organizadores do Rock in Rio, um desastre. Sabiam que, no palco, Anitta poderia fazer ou falar o que quisesse. Havia precedentes. Inclusive críticas mordazes a outros empresários. Assustados, tomaram uma medida extrema e, sem medir as consequências do ato, proibiram a participação de Anitta no show de Fergie.

Nem o cancelamento do show de Lady Gaga praticamente na véspera do festival causou tamanho estresse. Anitta já era a estrela pop nacional de maior prestígio naquele momento e seria praticamente impossível explicar esse veto. Medina, então, agiu rápido. Ligou para Sergio Affonso, presidente da Warner no Brasil, e marcou uma reunião de emergência com Anitta.

Ela chegou com cara de poucos amigos, e Medina, com a sua famosa lábia. Primeiro veio, como escreveu Cazuza, uma "mentira sincera": o empresário jurou que adorava funk e não tinha nada contra o ritmo. Anitta continuou com a mesma cara de paisagem.

Então, mesmo com décadas de experiência e já tendo negociado com estrelas mundiais como Beyoncé, Rihanna e Katy Perry, Medina cometeu um grande erro. Disse que, se Anitta fosse "mais pop", não teria problema algum ela se apresentar no festival. Isso a deixou enfurecida. Os olhos normalmente doces da cantora se transformaram, transparecendo toda a raiva que já vinha se acumulando desde o início do ano. Sem perder a linha, mas enfrentando o todo-poderoso Medina de igual para igual, Anitta afirmou que jamais se submeteria àquela sugestão. Ela havia conquistado o respeito e a admiração de milhões de pessoas mundo afora com seu estilo "meiga e abusada". E absolutamente não era hora de mexer em time que estava ganhando. Anitta praticamente repetiu para Medina o mantra feminista que costuma dizer em seus shows, reforçando a condição de mulher dona de seu próprio corpo e de suas vontades: "Você acha que não vou rebolar minha bunda? Achou errado!"

A audácia daquela menina, que tinha apenas 25 anos, deixou o experiente Medina momentaneamente sem ação. Mas o empresário precisava solucionar aquela crise e contra-atacou com promessas e mais promessas.

Primeiro, tentou convencer Anitta de que ela era "grande demais" para fazer apenas uma participação no show de Fergie. A cantora rebateu: o curioso é que, se fosse assim mesmo, ela deveria ter tido espaço no *line-up* do festival.

Então veio a cartada final. Medina garantiu que ela estaria no palco principal das duas próximas edições do Rock in Rio: Lisboa 2018 e Rio 2019.

Se imaginava estar tratando com uma artista deslumbrada com o sucesso e pouco preocupada com os rumos de sua própria carreira, Medina descobriu ali que Anitta era muito diferente disso. Consciente do quanto havia sido prejudicada com toda aquela polêmica, ela fez uma exigência para declinar o convite de Fergie: queria que Medina anunciasse em primeira mão, na coletiva de imprensa da abertura do Rock in Rio, que Anitta estaria nas próximas edições. Aquilo reverteria o quadro negativo.

Acordo feito.

Anitta saiu satisfeita.

Coitada...

Imediatamente após a reunião, Anitta ligou para Fergie e declinou o convite, explicando toda a situação. Sugeriu, então, que a americana convidasse a cantora sensação do momento para participar de sua apresentação. Assim, Pabllo Vittar faria, dali poucos dias, sua estreia no Rock in Rio.

* * *

12 de setembro de 2017.

Dia da coletiva.

Jornalistas de todo o Brasil e correspondentes dos principais jornais e sites internacionais estavam na Cidade do Rock para ouvir Roberto Medina falar sobre o festival. Durante cinco minutos, o empresário desfiou um rosário de informações e novidades. Transmitida ao vivo pelo site do Rock in Rio, a entrevista estava sendo acompanhada pela equipe de Anitta, já que havia todo um trabalho a ser realizado logo em seguida. Repercussão nas redes sociais, pedidos de entrevista, postagens da própria cantora falando sobre os shows...

Quando Medina deixou o palco sem citar o nome de Anitta, sua equipe ficou em estado de choque. Em vez exaltar o sucesso, como previsto, eles teriam que agir rapidamente para conter a crise que explodira de vez. Anitta se tornava oficialmente a "cantora de maior sucesso do momento proibida de cantar no Rock in Rio".

Restava a Anitta esfriar a cabeça e pensar nos próximos passos. E ela foi rápida. Na mesma semana em que foi definitivamente barrada do Rock in Rio, anunciou que iria realizar seu próprio festival de música. Usando a força de suas redes sociais e o enorme interesse que despertava na mídia, Anitta provocou Medina prometendo um evento "democrático e sem preconceito com ritmos", juntando artistas brasileiros e internacionais e misturando funk, samba, rock e pop no mesmo palco.

A imprensa entendeu o recado e comprou a briga. Assim, o "festival da Anitta" passou a roubar espaço de mídia que seria 100% dedicado ao Rock in Rio. Claro, isso atrapalhava os planos comerciais de Medina. Cinco dias depois, o empresário enfim cedeu à força da poderosa e anunciou com pompa e circunstância os shows de Anitta nas duas próximas edições do festival.

De férias nos Estados Unidos, Anitta comemorou a vitória: nunca antes na história do Rock in Rio um artista havia sido confirmado com tamanha antecedência.

Além do preconceito com o funk, Roberto Medina também teve que passar por cima de um receio para acertar as pontas com Anitta.

O empresário conhecia a fama de durona da cantora, que não media as palavras na hora de defender seus direitos. Ela poderia muito bem usar o palco de seu próprio festival para atacá-lo publicamente.

O medo de Anitta aprontar uma dessas no palco do Rock in Rio foi se dissipando na cabeça de Roberto Medina com o passar dos meses. Entre o anúncio, em setembro de 2017, e o show, em julho de 2018, as conversas com a cantora melhoraram, e, às vésperas do festival, em Lisboa, a carioca estava focada apenas em fazer uma apresentação brilhante, para calar definitivamente a boca de qualquer crítico.

Ela sabia que não era a principal atração da noite — posto que coube ao americano Bruno Mars. E também se ressentia de estar fazendo sua estreia no Rock in Rio a milhares de quilômetros de distância de sua cidade natal, onde certamente seria ovacionada por um público que a idolatra.

Mas isso era detalhe. Como também o fato de a estrutura do festival em Lisboa ser muito menor do que a do Rio de Janeiro. O palco, então, nem dava para comparar. Chegava a ser meio decepcionante.

De qualquer maneira, Anitta sabia que os olhos do Brasil estariam voltados para ela, mesmo do outro lado do oceano. O canal a cabo Multishow transmitiria sua apresentação ao vivo, e ela queria fazer bonito.

Nas entrevistas, ela percebia que o entrevero com a família Medina não fazia o menor sentido para a mídia portuguesa. A imprensa local nunca sequer a questionou sobre o fato de ser funkeira. Para eles, não fazia a mínima diferença o tipo de música que Anitta cantava. Os portugueses tratavam seu estilo como pop. Ela se divertia com isso tudo.

Menos divertido seria encarar o desafio de cantar à luz do dia, com sol a pino, em pleno verão europeu. Outro probleminha se devia ao fato de não ser ela a estrela da noite. A equipe de produção de Bruno Mars já ocupava uma boa parte do palco, atrapalhando a circulação do cenário móvel que ela iria utilizar.

Os cenários e figurinos mais extravagantes foram justamente para vencer o desafio de cantar à luz do dia. Ela precisava chamar a atenção.

Especialmente para o Rock in Rio Lisboa, Anitta teve a ideia de entrar vestida de Carmen Miranda, a atriz e cantora nascida em Portugal — e radicada no Brasil — que brilhou em Hollywood, interpretando uma típica mulher brasileira dos anos 1930 e 1940.

O recado que Anitta queria passar era claro. O próprio Medina, na coletiva de imprensa do Rock in Rio Lisboa, disse que Anitta era a "nova Ivete Sangalo". Anitta odeia comparações, odeia ser a "nova" alguma coisa. Vestida de Carmen Miranda, queria mostrar que estava seguindo passos ainda mais ambiciosos e que, como a "pequena notável", queria chegar a lugares do planeta onde ninguém do Brasil havia chegado antes.

Durante o show no Rock in Rio Lisboa, Anitta estava visivelmente emocionada e realizada. Chegar até ali era, sem dúvida, uma conquista e tanto para sua carreira. E ela precisava comemorar isso da melhor maneira possível: cantando e exaltando o funk, o berço de seu sucesso. O público delirou com versões remixadas de seus hits, que ganharam novas introduções lembrando grandes clássicos dos bailes de subúrbio, como os que ela havia frequentado na adolescência. No telão, vídeos e fotos se alternavam, passando a mensagem de que o funk representa a cultura popular. Era essa a mensagem que Anitta queria passar. Que a arte dela vinha, sim, da periferia. Mas isso não significava algo de menor qualidade.

O recado tinha endereço certo: Roberto Medina. Mesmo tendo se acertado com o empresário, Anitta ainda estava com a sugestão de ser "mais pop" atravessada na garganta. Só que, em vez de responder com um desaforo, ela preferiu lacrar no palco e mostrar o poder de sua música. Medina deve ter agradecido. Além de não ter sido confrontado em sua própria casa, ainda viu público e mídia babando pela apresentação.

Anitta também estava ansiosa pela repercussão. Controladora ao extremo, precisava saber o que os "especialistas" tinham achado de seu show. Sua equipe reuniu dezenas de críticas e ela leu todas. A *New Music Express*, uma revista semanal inglesa das mais relevantes, escreveu: "Anitta roubou o show de Bruno Mars no Rock in Rio." O *SAPO*, maior e mais importante portal português da internet, disse que Anitta foi "a dona do festival, do país, dessa coisa chamada baile funk, das bundas, do ritmo", e ainda sugeriu: "Prostremo-nos perante a sua realeza".

Os elogios rasgados deixaram Anitta empolgada. Secretamente, ela estava preocupada com o fato de não ser a estrela da noite em seu primeiro Rock in Rio. Tinha medo de que isso pudesse, de alguma forma, atrapalhar sua ambiciosa carreira internacional, iniciada em 2016. Sabia que uma apresentação chocha poderia enterrar seus planos.

Por isso comemorou tanto o sucesso do show. Sentia-se confiante para os próximos passos do plano de conquistar o mercado mundial — um projeto desenvolvido pela WME (William Morris Endeavor), empresa que faz a gestão da carreira da carioca no exterior. Além de cantar no Rock in Rio, Anitta também faria uma rápida turnê pela Europa. Com a força de quem cuida da carreira de estrelas do porte de Drake, Rihanna e Steven Tyler, a WME fez barulho. Primeira medida: apresentar a carioca como diva da música brasileira. E, para isso, a mídia tradicional seria fundamental. E lá foi Anitta para uma entrevista no programa matinal mais importante da TV inglesa, o *Good Morning Britain*. Mal comparando, é como o *Encontro com Fátima Bernardes*, só que muito mais bombado. A conversa durou mais de dez minutos e os apresentadores ficaram encantados com a desenvoltura da carioca, que falou fluentemente em inglês durante todo o papo.

Para completar a receita do sucesso, nada de casas de shows "simples". Em Londres, por exemplo, o show de Anitta seria simplesmente no Royal Albert Hall de Londres, casa que já recebeu nomes como Rolling Stones, Led Zeppelin e o famoso concerto Music For Montserrat.

Mesmo sem lotar a casa, que tem capacidade para mais de seis mil pessoas, Anitta fez uma apresentação impactante. E o melhor: na plateia havia muitos europeus, e não apenas os brasileiros nostálgicos de sempre.

As comparações com outras estrelas internacionais foram inevitáveis. O britânico *Daily Star* rasgou a manchete: "A nova J-Lo? A *bombshell* brasileira está assumindo o comando da cena da música latina." O autor do texto não poupou elogios: "Com curvas matadoras unidas a vocais sedutores, Anitta tem todos os ingredientes necessários para uma superstar do pop." Já o tradicional jornal francês *Le Monde* chamou a cantora de "Beyoncé carioca".

A explosão na Europa a colocou definitivamente no cenário internacional, coroando um trabalho árduo, feito a seis mãos por Larissa, Renan e Miriam. Juntos, eles costuraram os próprios sonhos para transformar em realidade os desvarios daquela menina. Em 2013, logo depois de ver sua vida mudar com "Show das Poderosas", Anitta escreveu uma música que era uma mensagem direta a todos os que desdenhavam de seu futuro. Em "Não Para", ela diz: "Viu, eu vim pra ficar / Abre pra eu passar / Vai ter que respeitar."

Anitta fugiu ao óbvio e ao previsível e surpreendeu. Ela é um furacão que ainda está solto por aí.

EU VIM PRA FICAR

*A*ntes de mais nada, uma observação pessoal. Eu cheguei a pensar em escrever um capítulo batizado de "Anitta e eu", no qual explicaria em detalhes nossa relação. Mas entendi que faria mais sentido apenas pontuar algumas questões relevantes da nossa história como forma de explicar melhor o que este capítulo representa na vida dela.

Há uma lealdade legítima entre mim e Anitta. Não é amizade. É um jogo. Eu e ela ganhamos com essa relação. Se ela não tivesse crescido profissionalmente, talvez eu, como jornalista especializado em celebridades, a ignorasse por completo. O contrário também é verdade: se eu não tivesse me tornado uma figura de "alcance nacional", não serviria mais para a estratégia de fama dela. Sem dramas, sem crises. A consideração de Anitta por mim é bem clara. Antes de 2013, era eu quem insistia em falar dela, da relação turbulenta com a Furacão 2000, dos primeiros namorados, da explosão com "Show das Poderosas". Nos últimos anos, o jogo ficou mais equilibrado. Ela também precisa de mim, do meu trabalho, das minhas redes sociais. Anitta sabe da importância da mídia para a sua carreira. Até da negativa, acredite. Ela é do tipo "falem mal, mas falem de mim". Óbvio que há um limite para isso.

Um belo dia, em 2013, a jornalista Fabíola Reipert, que levou a Record TV à liderança de audiência em São Paulo contando fofocas de artistas, começou a falar mal de Anitta, a quem chama até hoje de MC Larissa. Eu, ingênuo e preocupado, mandei mensagem para Anitta, querendo criar um laço de amizade entre elas para que notícias negativas sobre a cantora não ganhassem força.

— *Liga pra ela, Anitta.*

O que eu ouço do outro lado me choca:

— *Calma, menino, deixa ela fazer o trabalho dela. Deixa ela falar mal de mim, isso é ótimo. Pior vai ser o dia que ela nem falar de mim.*

Na época, eu era o repórter que cobria a noite no TV Fama, da RedeTV!. Encontrei um dia com Anitta na Marina da Glória, um espaço dedicado a shows e eventos no Rio de Janeiro. E, como o TV Fama era o único programa que se interessava por ela na época, a artista sempre foi muito solícita conosco. No meio da conversa, perguntei sobre a letra de "Não Para", especificamente sobre o trecho "Viu, eu vim pra ficar / Abre pra eu passar / Vai ter que respeitar / Não para, não":

— *É um desabafo?*

De maneira genial, ela respondeu:

— *Eu que escrevi essa música do meu CD. Justamente sobre o que eu tenho a oferecer, que é tão grande, Leo. É sobre tudo o que eu tenho a oferecer, é tanta coisa maravilhosa e inovadora. Eu não aceito dizerem que eu sou uma onda passageira.*

E Anitta estava certíssima.

No entanto, naquela época, ela acreditava mais em si do que todo o meio artístico.

Não sem motivos, claro.

Seus primeiros contatos com a grande mídia foram desastrosos, para dizer o mínimo. Em 2012, nos primórdios de sua carreira, participou do programa *Cante se Puder*, do SBT. O objetivo do quadro era obrigar o artista a fazer uma performance passando por uma série de obstáculos. Anitta cantou "Extravasa", de Claudia Leitte, e terminou a música totalmente suja de uma substância melequenta feita para humilhar mesmo o artista. Mas era aquilo, né? Tudo pela fama. Tirando os clipes bisonhos que gravou para a "Família Furacão" ou as participações no obscuro programa de Rômulo Costa e Priscila Nocetti na Band, Anitta não tinha muitas opções para se apresentar na TV. Cantar ali era sua única opção naquele momento. Nenhum programa de maior relevância a queria. Na verdade, ninguém a conhecia. Era o que tinha.

Já com a carreira comandada por Kamilla Fialho, Anitta conseguiu emplacar sua primeira participação em um programa da Globo. Foi no *TV Xuxa*, ainda em 2012, cantando "Tá na Mira". Ela foi às lágrimas, emocionada com aquela conquista. Por mais que a "Rainha dos Baixinhos" já estivesse em baixa, a audiência ali era infinitamente maior do que em qualquer outro programa em que ela já tinha aparecido na vida. Além disso, ela tinha uma mágoa guardada. Em 2011, quando ainda estava na Furacão, participou de um quadro do programa do Faustão que nunca foi exibido na TV, só na internet. Era o "Garagem do Faustão". Mas, para falar a verdade, a apresentação foi um horror, e é até bom que ela permaneça bem escondida.

Na época, Anitta era considerada brega, cafona, suburbana, vulgar e até burra. Ela nunca foi burra, mas de vez em quando se fingia. É um personagem clássico, já usado no *showbiz* brasileiro por outras estrelas, como Sabrina Sato. Anitta sempre teve uma explicação para se deixar ser taxada de boba, mesmo sendo extremamente inteligente e sagaz. Nessas horas, costuma dizer: "Ninguém quer missa na TV. A pessoa passa o dia inteiro na rua, trabalhando, e chega em casa para assistir televisão e vai ouvir um discurso profundo meu? Jamais. O povo quer entretenimento. E é isso que eu vou dar."

Mas, com o passar dos anos, a personagem bobinha foi perdendo espaço. Anitta sacou que sua carreira como musa pop tinha prazo de validade. E seria necessário assumir outro papel, caso tivesse interesse em manter um certo nível de receita, fama e poder. Estava chegando a hora de criar a imagem de uma mulher de negócios, capaz de gerenciar a própria carreira, de enfrentar — e vencer — desafios.

Quando rompeu com a K2L e decidiu não ter mais nenhum empresário no seu cangote, Anitta começou a trilhar esse caminho. Kamilla, aliás, era uma das grandes defensoras do "papel de boba" que a cantora fazia até então.

Um dos primeiros movimentos nesse sentido aconteceu em 2015, quando Anitta cismou que queria ter um bloco de Carnaval no Rio de

Janeiro. A inspiração foi Preta Gil, que com seu trio arrastava mais de um milhão de pessoas pelas ruas da cidade.

Eduardo Paes era o prefeito na época e amava o Carnaval. Mas tinha medo de que esses blocos transformassem o Rio de Janeiro em Salvador. Por isso, ele prometera a Preta que ela seria a única artista a cantar em um trio no Rio. Mas como Paes diria "não" a Anitta? Ela fez tudo certinho, entregou todos os documentos necessários e, em dezembro de 2015, a prefeitura deu a autorização.

Menos de um mês depois, surpreendentemente, a autorização foi indeferida por nada menos do que quatro órgãos governamentais: Guarda Municipal, Polícia Militar, Secretaria Municipal de Ordem Pública e CET Rio.

Anitta estava proibida de desfilar. Todos acharam que tinha dedo de Preta Gil nisso, que jura até hoje não ter nada a ver com a questão.

A decisão saiu a menos de um mês do Carnaval. Era praticamente impossível reverter a situação.

Impossível?

Anitta não conhece essa palavra.

Ainda mais naquela fase em que precisava mostrar serviço como empresária, mulher de negócios etc.

Ela acabou fazendo um acordo com um vereador carioca chamado Marcelo Arar, muito famoso na noite do Rio e, olha só que sorte, dono de um bloco de Carnaval com todas as autorizações em dia. A negociação foi simples: Anitta "arrendaria" seu trio, que seria rebatizado de Bloco das Poderosas. Em troca, a cantora faria um post favorável a ele na época das eleições.

No dia 13 de fevereiro de 2016, Anitta desfilou pela rua Primeiro de Março, no Centro do Rio, atraiu mais de duzentas mil pessoas e faturou com o patrocínio de diversas empresas que tiveram suas marcas expostas no caminhão. Naquele primeiro ano, o bloco rendeu mais mídia do que gente. Mas, conforme combinado, Anitta desfilou e fez o tal post. Arar se reelegeu, lógico.

Nos anos seguintes, o Bloco das Poderosas cresceu e apareceu. A cada ano, havia mais foliões na pipoca e mais famosos em cima do trio. No Carnaval de 2018, por exemplo, Anitta cantou vestindo o figurino do clipe "Vai Malandra" e recebeu, entre outros, Monique Alfradique, Giovanna Lancellotti, Giovanna Ewbank, Sabrina Sato, Nego do Borel, Jojo Toddynho, DJ Alesso e Xanddy.

Mas isso não foi nada comparado ao que aconteceu meses depois. Ali, sim, o mercado da música entendeu que, com Anitta, o buraco é mais embaixo.

Os cachês sempre foram uma questão na vida de Anitta. Apesar de ser considerada uma das maiores artistas do país, o valor de seu show é baixo. A ideia, em 2016, foi se associar ao maior empresário de shows do Brasil para chegar aonde ela nunca tinha chegado. Anitta era uma artista de metrópoles, de grandes cidades. O interior ainda a via com certa estranheza naquela época.

É nesse momento que entra em cena Marcos Aurélio Araújo, o "Marquinhos dos Jatinhos", um dos homens mais ricos do *showbiz* nacional. Empresário dos sertanejos Jorge & Mateus, do DJ Alok e de muitos outros grandes nomes da música brasileira, ele também é o criador do megafestival Villa Mix, que percorre o interior do país com uma estrutura de primeiro mundo, atraindo milhões de pessoas para shows de repercussão internacional.

Ou seja, um homem poderoso, que costuma obter aquilo que quer com muita facilidade e não está habituado a ser contestado.

Anitta precisava mostrar que não era mais aquela menina bobinha de antes.

Era hora de dar um salto na carreira e chegar perto de nomes como Luan Santana, que, já naquela época, cobrava quinhentos mil reais por apresentação. Para isso, Marcos Araújo era o caminho mais seguro. Ou, pelo menos, parecia ser.

Os dois se encontraram em um restaurante na Barra. Anitta chegou vestida de menina: tênis, short e camiseta. Nada de mulherão. Ela não queria causar. Pensava que sua música deveria ser suficiente para impressionar o empresário.

O papo até que correu bem. Marquinhos, através de sua empresa AudioMix, venderia os shows de Anitta, a colocaria em feiras agropecuárias e em seus famosos festivais, sendo remunerado com parte dos lucros. A cantora topou, mas não abria mão de multa rescisória. Houve algumas idas e vindas até que os dois finalmente se acertaram, com o compromisso de Anitta cantar em dois festivais: no primeiro Villa Mix Rio e no maior de todos, em Goiânia.

O problema é que, quando o contrato finalmente chegou, estava tudo errado. O que havia sido combinado não estava lá. As porcentagens que a cantora iria receber pelos shows eram muito menores. O mais bizarro: Marquinhos queria ganhar em cima das apresentações que Anitta havia fechado antes mesmo de o acordo entrar em vigor. Ela decidiu romper com o empresário, aceitando fazer apenas o show em Goiânia. Sem cachê.

No dia 4 de julho, data marcada para a apresentação, o Rio de Janeiro amanheceu sob um nevoeiro que parou o aeroporto Santos Dumont, impedindo o embarque de Anitta na hora marcada. Tensão o dia inteiro, até que finalmente ela conseguiu voar para Goiânia. No meio disso tudo, a produção do Villa Mix a acalmou dizendo que eles também estavam atrasados por causa do mau tempo, e tudo daria certo. Mas, quando chegou lá, Anitta descobriu que tinha caído na pegadinha do Mallandro: seu show havia mudado de horário e seria o último da noite, já no meio da madrugada, sem transmissão ao vivo pela TV.

Não era esse o combinado. Todos lá sabiam que Anitta seguiria dali direto para o México, para gravar o clipe de "Sim ou Não" com Maluma. Era o início de sua carreira internacional, e não dava para mudar tudo em cima da hora.

Marquinhos bateu pé, claramente em retaliação pelo fato de Anitta não ter fechado o contrato com ele. A cantora percebeu que o circo estava armado e não pensou duas vezes: arrumou suas coisas e foi embora do festival sem cantar.

Foi o início da guerra entre ela e Marquinhos, que passaram as semanas e os meses seguintes alfinetando um ao outro na mídia e nas redes sociais. Anitta disse que Marquinhos era a pessoa mais competitiva que já tinha conhecido. E ela simplesmente odeia competição.

A situação ficaria ainda pior.

Quatro meses depois, o Villa Mix chegava ao Rio. Na capital carioca, o festival é um acordo entre a AudioMix e a rádio FM O Dia, praticamente a segunda casa da cantora.

Nesse evento, alguns artistas receberiam cachê e outros cantariam de graça, por conta de acordos comerciais com a FM O Dia. Por isso, Anitta foi escalada. Ela era artista "da rádio".

Nem ela nem Marquinhos estavam felizes com esse arranjo.

Anitta solicitou à produção do evento que fosse logo uma das primeiras a entrar no palco, porque tinha um voo internacional para fazer. Mas novamente a AudioMix decidiu bagunçar os planos dela, escalando a funkeira para encerrar a noite.

Provocação pura.

O show iria começar depois das duas da manhã de uma segunda-feira, quando mais da metade do público já teria ido embora. Pior: havia previsão de temporal para aquele horário.

Anitta engoliu a provocação. Ela tinha uma carta na manga.

Dito e feito. Começou seu show debaixo de uma chuva torrencial. Marquinhos estava presente. Parecia querer ver com os próprios olhos a derrocada de sua adversária.

Encarando o empresário, Anitta pegou o microfone e disparou: "Tem gente que acha que sacaneando, prejudicando, vai nos fazer desistir. Mas essas pessoas esquecem que ninguém é pobre de espírito que nem eles. Quando tentam sacanear, é aí que a gente cria mais força. Um dia, eu prometo, eu vou fazer o nosso funk carioca ser respeitado no nosso país."

Dois anos depois, Marquinhos cedeu ao sucesso de Anitta e tentou contratá-la para o Villa Mix de Goiânia. Quis negociar um desconto de cachê, agora tão gordo quanto os dos maiores nomes do sertanejo nacional. Ao ouvir a proposta, a carioca achou graça e recusou o convite: "Amor, eu não faço desconto pra milionário."

A briga com Roberto Medina por conta do Rock in Rio, descrita anteriormente, também fez parte desse movimento. Na ocasião, Anitta ganhou repercussão mundial ao anunciar que faria o próprio festival de música.

Em 2017, com uma grande bagagem de vitórias empresariais nas costas, Anitta passou a valorizar cada vez mais seu lado "mulher de negócios", capaz de conduzir a própria carreira sozinha.

E a estratégia deu certo.

Em 7 de abril de 2018, Anitta pisou no palco da Brazil Conference, um evento da comunidade brasileira de estudantes da Universidade Harvard e do MIT (Instituto de Tecnologia de Massachusetts), simplesmente duas das instituições de ensino mais importantes do mundo. Ela foi convidada para dar uma palestra que tinha como tema "*Music as an instrument for transformation*" (Música como instrumento de transformação).

Em anos anteriores, Dilma Rousseff, Sérgio Moro, Gilberto Gil e Wagner Moura haviam participado da conferência. Mas nunca ninguém tão jovem e tão popular.

Na palestra, ela foi genial. Falou o que os estudantes queriam ouvir: que a educação é o único caminho. Lembrou da mãe e da infância pobre. Para os estrangeiros, Honório Gurgel pode até parecer uma favela, mas os cariocas sabem que lá é um bairro simples, sim, mas não uma favela. Mas, como lá fora a palavra "favela" soa melhor, então vamos nessa.

O grande momento de Anitta na palestra foi ao falar das letras dos funks cariocas, que em sua grande maioria remetem ao sexo e à criminalidade: "Antes de cantar, eu nunca tinha ido à Zona Sul do Rio de Janeiro. Então é muito difícil você cantar o 'barquinho vai, a tardinha cai' se você nunca viu essas coisas. O funkeiro canta a realidade dele. Se ele acorda, abre a janela e vê gente armada e se drogando, gente se prostituindo, essa é a realidade dele. Para mudar as letras do funk, você tem que mudar antes a realidade de quem está naquela área."

Aquele era o ambiente perfeito para reforçar seu discurso empoderado. E ela não perdeu a oportunidade. Lembrou, por exemplo, do rompimento com Kamilla Fialho: "Antes, tinha uma equipe comigo e eu era só artista. Mas não concordava com o modelo de negócio, o dinheiro era mal investido. Abri minha empresa na cara e na coragem aos 21 anos. Eu achava que chegaria aonde queria no Brasil aos trinta e poucos. Aí, aos 22, já estava superbem."

Foi aplaudida de pé.

O site da BBC, emissora oficial da Inglaterra, acompanhou a conferência e publicou a seguinte manchete: "Em versão *business*, Anitta rouba a cena em megaevento sobre o Brasil em Harvard." O texto comenta que foi "literalmente o show da poderosa" e complementa, em tom ainda mais elogioso: "Entre um pelotão de figurões da política e do empresariado, incluindo o ex-presidente do Banco Central Gustavo Franco, o presidenciável Ciro Gomes (PDT-CE) e o CEO da maior cervejaria do mundo, Carlos Brito (InBev), a personalidade mais aplaudida desta sexta-feira na Universidade Harvard, nos EUA, foi Anitta (...) Durante quase uma hora, deu lições de empreendedorismo e gestão de carreira para a plateia mais cheia do evento. Dono de uma fortuna de 93,3 bilhões de reais, o homem mais rico do Brasil, Jorge Paulo Lemann, assistiu da primeira fila — ele não quis falar com a imprensa, mas aplaudiu de pé e seguiu a cantora para o camarim.

Depois da palestra em Harvard, tudo mudou. Passados alguns dias, ainda em abril de 2018, a assessoria de Anitta marcou uma entrevista ao vivo no programa *Conta Corrente*, da GloboNews. Com a camisa fechada até o último botão, pernas cruzadas e sem gesticular muito, ela falou das duas empresas que possui — uma no Brasil e outra nos Estados Unidos — com cinquenta funcionários diretos e mais de duzentos indiretos.

Definitivamente ela havia enterrado aquela personagem bobinha. No seu lugar, surgia uma mulher de negócios inovadora, corajosa, ambiciosa e capaz de administrar, sozinha, uma carreira milionária.

Aquele novo papel, no entanto, exigiria de Anitta mudanças importantes na sua forma de agir. E isso ficou claro durante a campanha eleitoral de 2018, em que o Brasil estava polarizado entre dois projetos políticos, a população, com os ânimos acirrados e o patrulhamento da vida alheia funcionava a todo vapor. Em setembro, mais ou menos na mesma época em que estava assinando o divórcio com Thiago e o acordo com Kamilla, Anitta passou por uma crise típica de quem está com a cabeça cheia de problemas e, por isso, fica menos alerta para outros que possam surgir. A poucos dias do primeiro turno e horas antes de iniciar um retiro espiritual justamente para tentar acalmar o coração e a alma, a cantora passou a seguir no Instagram o perfil de uma menina com quem havia convivido na adolescência. A garota tinha sido namorada de um dos integrantes do Bonde da Stronda na mesma época em que Anitta estava com Diego "Mr. Thug" Villanueva. A cantora buscava se reconectar com o passado, com as pessoas que foram importantes em sua vida, mas que estavam distantes.

Como sempre acontece, assim que Anitta seguiu o novo perfil no Instagram, seus fãs foram em peso olhar quem era a pessoa. E muitos levaram um susto. A garota era uma apoiadora ardorosa de Jair Bolsonaro. Naquele Fla-Flu político que antecedeu a eleição, isso foi suficiente para Anitta ser acusada de apoiar o candidato do PSL, o que causou revolta entre seu público feminino e LGBT.

Como estava em retiro espiritual, recolhida no terreno de Pai Sérgio, Anitta havia se desconectado do mundo, desligando o celular. Por isso, não viu a repercussão do caso. E ela foi avassaladora. Os fãs, que exigiam um posicionamento dela, ficaram impacientes com a demora, aumentando o tom das críticas. Quando finalmente saiu do retiro, achando que encontraria paz, Anitta acabou dando de cara com uma crise gigantesca. No dia 23 de setembro, fez uma publicação com a hashtag #elenão, anti-Bolsonaro, afirmando ser contra quem prega o preconceito.

A situação foi tão desgastante que a fez desistir de gravar um novo CD. Era tempo de se recolher, de estudar o episódio, entender o que havia acontecido, aprender e crescer.

Em dezembro de 2018, ela voltou a falar sobre o assunto, em uma entrevista para um canal de TV do Chile. E justificou: "Como cantora, eu antes não colocava minha opinião política em nada. Eu não tive uma educação forte no Brasil, vim de um lugar em que não havia tantas oportunidades. Se me pressionam na discussão política, eu vou dizer que não sei responder nada. Porque não entendo. Estou estudando tantas outras coisas que não tive tempo de estudar política, de me aprofundar no tema. Então eu sempre tive medo de me posicionar politicamente."

Essa crise serviu quase como um MBA de gestão de carreira.

Como também havia servido a gravação de uma série documental sobre sua vida, meses antes. Durante as filmagens, ela aproveitou todas as oportunidades que teve para deixar claro, de uma vez por todas, que era responsável pelo seu próprio sucesso.

A série, que estreou no fim de 2018 na Netflix, a gigante do *streaming*, mostra um pouco da rotina da cantora, acompanhando shows, viagens, eventos e gravações de clipes. Em uma dessas filmagens, que mostra o *making of* do badalado "Vai Malandra", Anitta aproveita para reforçar suas qualidades de gestora.

A música, uma necessária volta de Anitta ao funk depois de iniciar sua carreira internacional, foi lançada em dezembro de 2017. Era uma resposta ao mercado nacional, que aproveitou o vácuo deixado por ela para valorizar nomes como Luísa Sonza. Até sua ex-rival Lexa se deu bem com isso, explodindo com "Sapequinha".

"Vai Malandra" era para ser um *feat* entre Anitta e Post Malone.

Mas não foi.

No lugar da estrela veio Maejor, um rapper americano que contou aos mais próximos que só aceitou fazer a participação pela força de Anitta na internet no Brasil.

A partir de uma ideia original da própria Anitta e de Marina Morena, o diretor do clipe, Marcelo Sebá, desenvolveu o roteiro. O nome de Terry Richardson como diretor foi absolutamente figurativo. Quem meteu a mão na massa e efetivamente dirigiu o clipe foram Anitta e Sebá.

A proposta de "Vai Malandra" era ser uma "biografia" da verdadeira Anitta. Por isso tinha que ser gravado numa favela. A escolhida foi o Vidigal, no Leblon, mas a ideia do vídeo era mostrar uma favela sem glamour. Por isso, não apareceriam imagens do mar do Rio nem das partes mais "elegantes" do morro. Era a favela real.

A produção procurou por dois meses personagens nos morros do Rio para compor a *entourage* que acompanha as peripécias de Anitta. Foi convidada, por exemplo, Erika Bronze, responsável pelos biquínis de fita isolante, e muita gente excluída da sociedade, incluindo transgêneros, andrógenos, idosos e gordos.

Para surpresa geral, Anitta não quis dublê de corpo, e mais: proibiu que um tal de Loyk, artista gráfico de Nova York, fosse contratado para deixar sua bunda perfeita. Foi Loyk que deixou a bunda de Anitta deslumbrante em "Downtown". Loyk também trata a bunda da Beyoncé e da Nicki Minaj nos clipes. Mas, dessa vez, Anitta queria que tudo fosse o mais real possível. E suas marquinhas acabaram, realmente, roubando a cena de forma positiva, como um recado sobre empoderamento feminino, sobre a coragem de se assumir de verdade.

Quatro da tarde, e apenas duas cenas haviam sido rodadas. Anitta dá um piti dentro da van, começa a gritar e ameaça demitir todos da Mangaba Produções, empresa contratada para rodar o clipe. Tudo isso foi devidamente filmado pela equipe da Netflix.

Nesse momento, aliás, Anitta deixou aflorar um defeito que tenta, há anos, melhorar. Ela é impaciente e explosiva. Ao longo de sua carreira, houve vários episódios em que foi rude e agressiva com funcionários, exigindo, aos gritos, que fizessem as coisas do jeito que ela queria. Anitta é controladora e perfeccionista, e a combinação dessas duas características quase nunca é boa. Tanto que procurou ajuda de um *coach* para corrigir esse problema. E já melhorou muito.

O ataque de fúria dentro da van não estava planejado. Anitta não queria deixar esse seu lado registrado numa série. Mas, apesar disso, o documentário da Netflix cumpre seu papel e mostra que ela está se tornando cada vez mais empresária e menos artista. Isso, sim, foi planejado por Anitta. Ela precisava de um registro ainda mais claro de suas novas atribuições, paralelas à carreira de cantora. Porque sabe que seu futuro não vai ser em cima do palco.

A primeira atribuição, nascida em Harvard, é a de palestrante. A artista cobra 150 mil reais para falar em empresas. Há também uma opção de bate-papo com os funcionários, aí sai mais caro.

A outra atividade é secreta. Ou era, né, amores? Quase ninguém sabe, mas Anitta presta consultoria a artistas iniciantes ou em crise na carreira. Ela decide os rumos, as músicas e até mesmo o que o pupilo deve postar nas redes sociais. Em 2018, fechou o ano com cinco artistas brasileiros na carteira — e ela cobra por hora de trabalho. Os nomes são mantidos em sigilo, mas acredita-se que os sertanejos Gustavo Mioto e a dupla Matheus & Kauan já tenham contratado seus serviços. Ganharam, de bônus, participações dela em seus trabalhos.

As palestras e as consultorias são bem mais lucrativas do que os shows. Dão menos trabalho e só dependem dela. Um show completo de Anitta custa uns duzentos mil reais. E dá uma trabalheira. Anitta está com cada vez menos tesão em fazer show. Ela ama mesmo é fazer clipes. Eles eternizam Anitta. Os shows, não. Show é um mal necessário. Mas ela sabe que não vai precisar fazer isso por muito mais tempo.

"SABE O PELÉ?"

Os furacões, segundo a ciência, são fenômenos meteorológicos que têm consequências devastadoras principalmente quando atingem áreas urbanas. Mas os furacões não duram muito, são passageiros. O mais longo registrado até hoje pela humanidade durou 33 horas. Foi em 2017, atingiu o Caribe, com categoria 5, considerada altíssima, e chamou-se Irma. Aliás, os furacões mais devastadores, os mais poderosos, têm sempre nome feminino. É uma regra. Segundo estudos americanos realizados entre 1950 e 2012, os fenômenos que receberam nomes de mulher foram os mais danosos, que quase sempre deixaram marcas eternas por onde passaram. Mas todos, sem exceção, tiveram um fim rápido.

Com Anitta não será diferente.

E esta biografia não se intitula *Furacão Anitta* por acaso. Em breve, a personagem criada por Larissa Macedo chegará ao fim. A *sexbomb* rebolativa, poderosa, meiga e abusada abandonará de vez os palcos, deixando marcas inesquecíveis no cenário da música pop internacional.

É uma decisão já tomada, planejada desde os primeiros momentos da trajetória artística, quando a cantora ainda estava na Furacão 2000.

Sim, Anitta já tem data para encerrar sua carreira. Será em 2023, quando completar trinta anos. Coincidentemente, uma década após estourar em todo o país com "Show das Poderosas".

São raríssimos os registros de carreiras ao mesmo tempo tão bem-sucedidas e tão breves. Especialmente quando a decisão de colocar um ponto-final parte do próprio artista. Nos Estados Unidos, o humorista Jerry Seinfeld assombrou o mundo do entretenimento quando decidiu cancelar a série *Seinfeld*, considerada a melhor da TV americana até então. Ele estava no auge. O último episódio do programa, exibido em 1998, bateu recorde de audiência, sendo assistido por 76 milhões de pessoas. Anos depois, a emissora americana NBC tentou retomar a série e ofereceu ao humorista nada menos do que 110 milhões de dólares por uma temporada de 22 episódios. Mas ele simplesmente recusou. Preferia continuar sendo lembrado pelo estrondoso sucesso que alcançou do que correr o risco de entregar um fracasso a seus fãs.

Mas tudo bem. Aos 25 anos, Anitta é muito bem resolvida. Sua maneira de se relacionar com o sucesso e com a fama impressiona demais. Ela não quer ser refém da fama. Está se aproveitando dela para construir as bases de uma nova vida, dedicada a outros prazeres, especialmente a família — e os futuros filhos.

Para isso, claro, precisa deixar um legado. Suas músicas, sua empresa, seus investimentos. A própria personagem terá vida própria, independente. Não à toa, a cantora desenvolveu uma série de animação voltada para o público infantil. Com a Anittinha, ela pretende imortalizar Anitta. Ela sabe que personagens infantis conseguem atravessar gerações, se adequando facilmente aos modismos de cada época. E o mais importante: eles não envelhecem. Um exemplo fantástico é a Mônica, criada pelo genial Mauricio de Sousa em 1963 e que, até hoje, é amada por crianças (e adultos) de todo o Brasil.

Por fim, mesmo afastada dos palcos, Anitta certamente continuará sendo um fenômeno de comunicação. Se uma nova rede social surgir, ela provavelmente será uma das pioneiras. Esse tipo de coisa está no seu DNA.

Em agosto de 2018, conversei abertamente com Anitta sobre como é para uma artista envelhecer e lidar com o fim do sucesso. Ao falar sobre isso, ela se emocionou. Lembrou-se da avó materna, dona Gloriete, falecida em 2011. As duas eram muito ligadas. E a avó foi uma grande incentivadora dos sonhos da neta. Foi dona Gloriete quem levou a pequena Larissa para cantar pela primeira vez no coral da igreja que frequentava, em Honório Gurgel. Mas o destino não permitiu que ela visse o sucesso retumbante da cantora.

Foi nessa hora, ainda emocionada com a lembrança da avó, que Anitta me confirmou que vai parar aos trinta anos, em 2023.

"Eu acho muito injusto a forma como as pessoas lidam com a velhice. Eu quero me dar o direito de envelhecer. O público não aceita alguém que envelheça. Principalmente uma mulher. Eu não quero ser refém disso para o resto da minha vida. As pessoas sempre cobram mais e mais. Com quarenta anos eu não terei o fôlego de uma menina de vinte. Então, eu não quero estar na ativa quando as pessoas começarem a me cobrar resultados que só uma menina de vinte anos tem fôlego para alcançar. Eu estou com 25 e já não sinto a mesma disposição dos vinte. Imagine daqui a dez anos? Se eu me colocar nessa fogueira [de estar sempre no topo] viverei infeliz para sempre, buscando algo que não vou alcançar. Ninguém fica no auge para sempre. A vida é um ciclo. Uma hora eu vou cair. Isso é certo. E, nessa hora, não quero ninguém esperando de mim o contrário. Sabe o Pelé? Você viu o Pelé decair? Ninguém viu. Ele foi rei. Ele brilhou. E tchau. Deu lugar para outro. É isso. Depois de mim, virá outra. Não tem por que eu ficar disputando com essa outra. Não vou ganhar nunca essa disputa. É fisicamente impossível..."

7 de março de 2019.

AGRADECIMENTOS

Agradecer é reconhecer que não fazemos nada sozinhos.
A vocês que estiveram ao meu lado apoiando, lendo e vivendo este sonho: obrigado.

Obrigado é um vínculo de retribuição eterno.

Obrigado aos meu pais, Helmo e Virgínia; à minha irmã, Cristiane; à minha sobrinha, Adriane; e à minha filha de quatro patas, Luma.

Aos meus companheiros de vida André Luis Junior, Lívia Andrade, Dedé Galvão, Antônia Fontenelle, Fábia Oliveira, Flávia Costa. Muito obrigado.

Aos meus amados Leão, Mamma, Decio, Gabriel Cartolano, Márcio Esquilo. A toda produção do *Fofocalizando*, aos amigos do SBT, aos amigos do *Jornal O DIA*. Obrigado a todos que acreditam na liberdade de imprensa e na seriedade do jornalismo de celebridades.

Obrigado a Marcos Salles, Leandro Oliveira, Glaucio David Orun Lopes, Daniel Trovejani, Raphael Brahma, Thais Bendicto, Dj Batutinha, Jonathan Costa, Pedro Tourinho.

Obrigado A Marta Martins, diretora da Escola Itália.

Lexa e Jojo Maronttinni, meus amores, obrigado.

Obrigado a Miriam Macedo e Renan Machado, verdadeiros protagonistas desta biografia.

Obrigado a Larissa, pessoa física, por sempre respeitar o meu trabalho, saber o valor da imprensa.

Parabéns por ter chegado tão longe.

Obrigado a Anitta, artista sensacional, pelo eterno ensinamento, pela inspiração na luta invisível, muitas vezes, escondida nas luzes do show.

Obrigado por discordar de mim, melhor caminho para aprender todo dia.

Gratidão.

Obs.: Não me leve a mal, esta biografia é apenas a percepção de um repórter de celebridades.

DIREÇÃO EDITORIAL
Daniele Cajueiro

EDITORA RESPONSÁVEL
Janaína Senna

PRODUÇÃO EDITORIAL
Adriana Torres
Carolina Rodrigues

EDIÇÃO DE TEXTO
Henrique Freitas

REVISÃO
Luana Luz de Freitas
Luisa Suassuna

PESQUISA
Lais Gomes
Monique Arruda

PROJETO GRÁFICO
Larissa Fernandez Carvalho

DIAGRAMAÇÃO
Filigrana

Este livro foi impresso em 2019
para a Agir.